AĞRIDAĞI EFSANESİ

Yaşar Kemal 1923'te Osmaniye'nin Hemite (bugün Gökçedam) köyünde doğdu. Komşu Burhanlı köyünde başladığı ilköğrenimini Kadirli'de tamamladı. Adana'da ortaokula devam ederken bir yandan da çırçır fabrikalarında çalıştı. Ortaokulu son sınıf öğrencisiyken terk ettikten sonra ırgat kâtipliği, ırgatbaşılık, öğretmen vekilliği, kütüphane memurluğu, traktör sürücülüğü, çeltik tarlalarında kontrolörlük yaptı. 1940'lı yılların başlarında Pertev Naili Boratav, Abidin Dino ve Arif Dino gibi sol eğilimli sanatçı ve yazarlarla ilişki kurdu, 17 yaşındayken siyasi nedenlerle ilk tutukluluk deneyimini yaşadı. 1943'te bir folklor derlemesi olan ilk kitabı *Ağıtlar*'ı yayımladı. Askerliğini yaptıktan sonra 1946'da gittiği İstanbul'da Fransızlara ait Havagazı Şirketi'nde gaz kontrol memuru olarak çalıştı. 1948'de Kadirli'ye döndü, bir süre yine çeltik tarlalarında kontrolörlük, daha sonra arzuhalcilik yaptı. 1950'de komünizm propagandası yaptığı iddiasıyla tutuklandı, Kozan cezaevinde yattı. 1951'de salıverildikten sonra İstanbul'a gitti, 1951 – 63 arasında *Cumhuriyet* gazetesinde fıkra ve röportaj yazarı olarak çalıştı. Bu arada 1952'de ilk öykü kitabı *Sarı Sıcak*'ı, 1955'te kendisine büyük bir ün kazandıran ilk romanı *İnce Memed*'i yayımladı. 1962'de girdiği Türkiye İşçi Partisi'nde genel yönetim kurulu üyeliği, merkez yürütme kurulu üyeliği görevlerinde bulundu. Yazıları ve siyasi etkinlikleri dolayısıyla birçok kez kovuşturmaya uğradı, 1967'de haftalık siyasi dergi *Ant*'ın kurucuları arasında yer aldı. 1973'te Türkiye Yazarlar Sendikası'nın kuruluşuna katıldı ve 1974 – 75 arasında ilk genel başkanlığını üstlendi. 1988'de kurulan PEN Yazarlar Derneği'nin ilk başkanı oldu. 1995'te *Der Spiegel*'de yayımlanan bir yazısı nedeniyle İstanbul Devlet Güvenlik Mahkemesi'nde yargılandı, aklandı. Aynı yıl *Index on Censorship*'te yayımlanan "Türkiye'nin Üstündeki Karabulut" başlıklı yazısı dolayısıyla 1 yıl 8 ay hapis cezasına mahkûm edildi, cezası ertelendi.

Şaşırtıcı imgelemi, insan ruhunun derinliklerine nüfuz eden kavrayışı, anlatımının şiirselliğiyle yalnızca Türk romanının değil dünya edebiyatının da önde gelen isimlerinden biri olan Yaşar Kemal 1973'ten bu yana Nobel Edebiyat Ödülü adayıdır. Yapıtları kırka yakın Yaşar Kemal, Türkiye'de aldığı çok sayıda ödülülararası Cino del Duca ÖdüCommandeur payesi (1984), ar des Arts et des Lettres Nılunya (1996), Alman Kitapış Ödülü'nün (1997) de bul

YAŞAR KEMAL

AĞRIDAĞI EFSANESİ

RESİMLEYEN:
ABİDİN DİNO

ROMAN

İSTANBUL

Yapı Kredi Yayınları - 1985
Edebiyat - 572

Ağrıdağı Efsanesi / Yaşar Kemal

Kitap editörleri: Pınar Çelikel - Tamer Erdoğan
Düzelti: Belgin Sunal

Kapak tasarımı: Yeşim Balaban

Baskı: Promat Basım Yayım San. ve Tic. A.Ş.
Namık Kemal Mah. Adile Naşit Bulvarı 122. Sk. No: 8 34513 Esenyurt / İstanbul

1. baskı: 1970, Cem Yayınevi
1970-2003, Cem Yayınevi, Tekin Yayınevi,
Toros Yayınları, Adam Yayınları
YKY'de 1. baskı: İstanbul, Ocak 2004
15. baskı: İstanbul, Şubat 2008
ISBN 978-975-08-0741-3

Yapı Kredi Kültür Sanat Yayıncılık Ticaret ve Sanayi A.Ş.
Yapı Kredi Kültür Merkezi
İstiklal Caddesi No. 161 Beyoğlu 34433 İstanbul
Telefon: (0 212) 252 47 00 (pbx) Faks: (0 212) 293 07 23
http://www.yapikrediyayinlari.com
e-posta: ykykultur@ykykultur.com.tr
İnternet satış adresi: http://alisveris.yapikredi.com.tr
http://www.yapikredi.com.tr

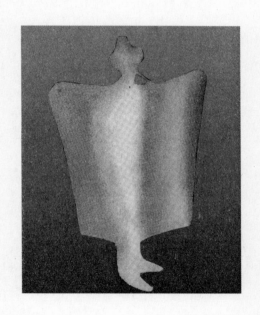

Ağrıdağının yamacında, dört bin iki yüz metrede bir göl vardır, adına Küp gölü derler. Göl bir harman yeri büyüklüğündedir. Çok derinlerdedir. Göl değil bir kuyu. Gölün dört bir yanı, yani kuyunun ağzı, fırdolayı kırmızı, keskin, bıçak ağzı gibi ışıltılı kayalarla çevrilidir. Kayalardan göle kadar daralarak inen yumuşak bakır rengi toprak belli bir aşıntıyla yol yoldur. Bakır rengi toprağın üstüne yer yer taze bir yeşil çimen serpilir. Sonra gölün mavisi başlar. Bu, bambaşka bir mavidir. Hiçbir suda, hiçbir mavide böyle bir mavi yoktur. Laciverdi, yumuşak, kadife bir mavidir.

Her yıl karlar eriyip de bahar gözünü açınca, Ağrıdağında bir ulu tazelik patlayınca, gölün kıyıları, ince kar çizgisinin üstü, keskin, kısa, küt çiçeklerle dolar. Çiçeklerin rengi alabildiğine parlaktır. En küçük çiçek bile mavi, kırmızı, sarı, mor kendi renginde çok uzaklardan bir renk pırıltısı olarak balkır. Ve keskin kokarlar. Gölün mavi suyu, bakır rengi toprağı baş döndürücü keskin kokularla kokar. Ve bu kokular çok uzaklardan duyulur.

Ve her yıl Ağrıdağında bahar gözünü açtığında, çiçeklerle, keskin kokular, renklerle, bakır rengi toprakla birlikte Ağrıdağının güzel, kederli kara gözlü, iri yapılı, çok uzun, ince parmaklı çobanları da kavallarını alıp Küp gölüne gelirler. Kırmızı kayalıkların dibine, bakır toprağın, bin yıllık baharın üstüne kepeneklerini atıp gölün kıyısına fırdolayı otururlar. Daha gün doğmadan Ağrıdağının harman olmuş yalp yalp yanan yıldızları altında kavallarını bellerinden çıkarıp Ağrıdağının öfkesini çalmaya başlarlar. Bu, gün doğumundan gün batımına kadar sürer. Bu arada, tam gün kavuşurken gölün üstünde kar gibi ak

Ağrıdağının yamacındaki Küp gölünün kıyısında
çobanların birikip kaval çaldıklarıdır

küçücük bir kuş dönmeye başlar. Sivri, uzun, kırlangıca benzer bir kuştur. Gölün üstünde çok hızlı döner. Uzun, ak halkalar çizer üst üste. Ak halkalar tel tel gölün som mavisine düşer, tam günün battığı anda kavalcılar çalmayı keserler. Kavallarını bellerine sokup doğrulurlar. Gölün üstünde bütün hızıyla uçan kuş tam bu sırada göle şimşek gibi çakılırcasına iner, bir kanadını suyun mavisine daldırır kalkar. Böylece üç kere daldırır, sonra da uçup gider, gözden ırar, yiter. Ak kuştan sonra çobanlar da sessiz, birer ikişer oradan ayrılır, karanlığa karışır çekilir giderler.

Kır bir at Ahmedin evinin kapısında dün akşamdan beri duruyordu. Boynunu uzatmış, geniş burun delikleriyle kapının yer yer çatlamış tahtasını koklar gibiydi. Bu atı Ahmedin kapısında ilk önce çok yaşlı, uzun ak sakallı Sofi gördü. Atın üstünde gümüş savatlı bir Çerkes eyeri vardı. Üzengisi işleme gümüştendi. Sofi ata yaklaştı bükülmüş beliyle onun az ötesinde durdu. Dizginleri sırma işlemeliydi ve eyerin altın, sedef kakma kaşına geçirilmişti. Eyerin altından da atın sağrısına doğru, çok iyi pişirildiği daha uzaktan belli olan bir nakışlı keçe belleme uzanıyordu. Keçe bellemenin üstüne eski zamanlardan kalma bir güneş sureti işlenmişti. Çok turuncu. Güneşin ardından da uzun bir hayat ağacı yemyeşil yükseliyordu. Atın sol yanında da böyle bir güneş, böyle bir ağaç vardı. Sofi bu güneşi, bu ağacı bir yerlerde görmüştü. Bunu şöyle hayal meyal ansıyordu. Bu suretler bir ünlü aşiretin, oymağın damgası olmalıydı.

Sofi bir süre azıcık ürkmüş, azıcık şaşırmış, azıcık korkmuş atın ötesinde sessiz durdu. Ahmedin evine gelen bu ünlü, bu büyük konuk kimdi ola? Damgayı kafasında evirip çeviriyor, hangi oymağın hangi beyin, paşanın damgası olduğunu bir türlü bulamıyordu. Yalnız bu damga ona korku veriyordu. Böylesi damgalar hep uğursuzdu. Bir korkuyla gelir, bir korkuyla giderlerdi.

Bu yerlerde böyle donatılmış bir atı olabilecek hiç kimse yoktu. Üstelik buradaki her oymağın da damgasını bilirdi Sofi.

Bahardı. Ağrıdağının karları erimeye yüz tutmuştu. Aşağılarda kırmızı kayalıkların uçları yer yer gözükmeye başlamış, sarı karçiçekleri uç vermişti. Çok uzaklardan, arka arkaya ka-

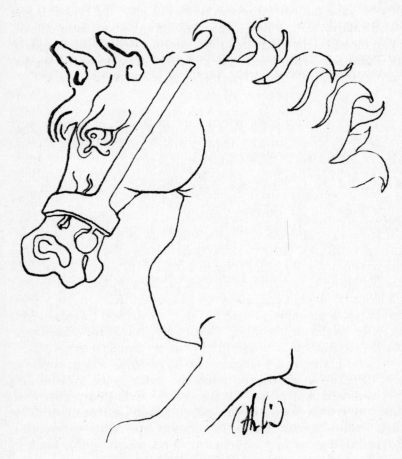

Atın Ahmedin kapısında gelip durduğudur

tarlanmış turnalar salınarak geçiyorlar, Van gölüne doğru gidiyorlardı.

Ahmedin hiçbir şeyden haberi yoktu. Ala şafakta içerden bir kaval sesi geliyordu. Sofi bu güzel kaval sesini çok eskilerden bu yana tanırdı. Ahmedin dedesi Sultan Ağa da böylesine kaval çalardı. Babası Resul da... Bu evin erkekleri üstüne kaval çalan bir kişi daha gelmemişti Ağrıdağına. Belki de şu yeryüzüne. Bunu Sofi söylüyorsa doğruydu. Çünkü Sofi bütün şu doğunun, Kafkasın, İranın, Turanın en ünlü kavalcısıydı.

Sofi atın yanına biraz daha yanaştı. Damgayı daha yakından gözden geçirdi. At sanki içerden gelen kaval sesini dinliyordu, kulağını bir iyice vermiş. Ahmet çok eski bir Ağrıdağı türküsünü çalıyordu. Ağrıdağının iflah etmez öfkesini. Bu türküyü tekmil Ağrı kavalcılarına Sofi öğretmişti.

At boynunu sese iyice uzattı. Sofi de... Bu destanı çalmayalı, dinlemeyeli çok oluyordu. Bir koca dağ nasıl da bir kaval sesinde korkunç bir öfkeye geliyordu. Sofi böyle tuhaf, şaşkın şeyler düşünürken, şu insanoğluna akıl ermez, diyordu. Bir incecik kavaldan koskoca, kükremiş bir dağ çıkarıyorlar, diyordu. Şu insanlar, şu dünyada var oldukça her şeye akıl erdirecekler, kartalın uçuşuna, karıncanın yuvasına, ayın, günün doğuşuna, batışına, ölüme, kalıma, her şeye akıl sır erdirecekler. Karanlığa ışığa, her şeye, her şeye akıl erdirecekler, tek insanoğluna güçleri yetmeyecek. Onun sırrına ulaşamayacaklar.

Ve dağ yürüyordu kaval sesinde. Ve uçurumlar, çığlar, ayaz gece, yıldızlar patlıyordu. Ay ışığı patlıyordu. Ve dağ bütün hışmıyla yürüyordu. Terlemiş, soluklanan... Bir ulu dev gibi göğüs geçiriyordu Ağrı. Sofi çok derinden Ağrının soluklandığını duyuyordu. Çok uzak, derin bir uğultu dünyanın ortasına doğru soluklanıyordu. Ahmet çalıyor, dağın soluğu, öfkesi büyüyordu. Böyle zamanlarda Sofi kulağını dağın uğuldayan toprağına dayıyordu. Dağ gittikçe öfkeleniyor, soluğu derinleşiyor, sıklaşıyor, bir iniyor, bir kalkıyor, paramparça oluyor, bütün hışmı, bütün ağırlığıyla dünyanın üstüne çöküyordu. Sonra da dünyayı bir sessizlik kaplıyordu. Her bir yan ıpıssız. Dünya bomboş kalmış, Ağrıdağı başını almış da dünyamızdan çekip gitmiş, kurdunu kuşunu, insanını almış götürmüş, yıldızını, ayını, güneşini, esen yelini, yağmurunu karını, çiçeklerini almış götürmüş, şu dünyayı bomboş bırakmıştı. Çölleri dolduran sürmeli ceylan sürülerini de almış götürmüştü. Kavalın sesinde ıssızlık, boşluk donup kalmıştı...

Sonra birden bütün çiçekleri, yıldızları, kokusu, alabalıklı, aydınlık suları, ceylanlı çölleriyle dünya Sofinin gözlerinin önünde yeniden açıldı. Gözlerinin önündeki at başkalaştı. Atın keçe bellemesindeki güneş canlandı. Hayat ağacı yaprak döktü, çiçek açtı.

Kavalın sesi bir ara kesildi. Güneş de Ağrının tepesinin ötesinden ucunu kıpkırmızı bir dilim gibi göstermişti.

Sofi kendine geldi. Bir ata baktı, bir kapıya. At da başını kaldırdı, iri kederli gözleriyle Sofiye baktı. Sofinin yüreğine belirsiz bir korku girdi:

"Ahmet, Ahmet," diye bağırdı.

Ahmet Sofinin sesini tanıdı, kapıya yürüdü, açtı:

"Buyur dayı," dedi.

Atı görünce, önce şaşırdı. Sonra bir ata, bir Sofiye baktı.

Sofi:

"Konuğun kim Ahmet?" diye sordu. "Hoş geldi safalar getirdi."

Ahmet:

"Konuğum yok," diye karşılık verdi.

İkisi de ata baktılar.

At kapıdan uzaklaştı, evi bir kere döndü geldi kapıda gene durdu. Uzun, sallı bir attı. Kulakları sivri, dikilmiş. Başını havaya kaldırdı, kişner gibi yaptı, kişnemedi.

Ahmedin evi bir kayanın dibindeydi. Yontulmamış kırmızı kayalardan örülmüştü. Kapısı genişti ve bir tek penceresi vardı.

Sofi düşündü. Ahmet de düşündü.

Sofi:

"Bu at senin kısmetindir," dedi.

"Öyledir," dedi Ahmet. "Mademki gelmiş, kapıda durmuş. Ama bu at kimin atı?"

Sofi:

Ahmedin: "Ne yapalım, at benim kısmetimdir," dediği yerdir

"Keçesinde damgası var. Bir yerlerden, çok eski zamanlardan gözüm ısırıyor bu damgayı. Bir belalı, bir korkulu yerin damgası olsa gerek. Ama kimin olursa olsun, bu at senin. Kapına haktan armağan geldi."

"Haktan..." dedi Ahmet.

Bir sevinç mi, bir bela mı?

Ahmedin yüzüne düşen gölge Sofinin gözünden kaçmadı.

"Kimin olursa olsun bu at senindir. Yalnız, şu damgayı gözüm ısırıyor. Çok eski günlerden kalma bir damga."

Bir de böyle koşumları olan at şunun bunun atı olamazdı.

"Çok düşünme, atı al, şu aşağı yola bırak gel. At bir daha kapına gelirse, al gene götür. Bunu üç kere böyle yap," dedi Sofi. "At gene gelirse bu senin atındır. Atın sahibi bey de olsa, paşa da, Osmanlı Padişahı, Acem Şahı da olsa, Köroğlu da olsa, kelleni verir de bu atı veremezsin. Ve hem de veremeyiz."

Gün doğdu, sırmalanmış bulutlar açıldı, karların üstüne ışıltılı bir ışık dumanı çöktü. Ahmet atı tuttu, at uysaldı, üstüne bindi aşağılara sürdü. Atı bıraktı, döndü. Döndü ki ne görsün, at Sofinin yanında duruyor. Bunu üç kere yineledi.

"Başa gelen çekilir, dayı," dedi Ahmet.

Nasıl olsa bu atın sahibi bir gün atını arayacaktı. Kim olursa olsun artık Ahmet atı ona veremezdi. Kellesini verir de atı ona veremezdi.

Atı ahıra çekti. Hem sevinçli, hem korkuluydu. Kendini bildi bileli böyle güzel bir at görmemişti.

Sofi:

"Atın sahibi bir sütsüz çıkar da ille de atımı isterim derse dövüş olacak. Ağrının başı kızarsa dünyayla dövüşür," diye sevinçlendi.

Ahmet ona katıldı:

"Dövüşür," dedi.

Ahmedin kapısına bir küheylanın gelip durduğunu önce bütün köy duydu. Gelip atı gördüler. Sonra yakın köyler, sonra tekmil Ağrı yöresi duydu, gelip atı gördüler. Az bir zamanda atın ünü İrana, Turana ulaştı. Bu hali, Ahmedin başına gelip konan devlet kuşunu türlü türlü yorumladılar. Kimi hayra yordu, kimi şerre...

16

Sonra aşağıdaki ovadan, Karakiliseden, Gihadinden, Iğdırdan Kürt Beyleri duydular, atı görmeye geldiler, Ahmedin talihine gıpta ettiler.

Uzun bir süre atın sahibinden haber çıkmadı.

Ahmet atına binip, yarenlerini yanına alıp İran toprağına talana gidiyor, maldan mal, koyundan koyun, attan at sürüp getiriyordu Ağrıdağına.

Ama kuşku içindeydi. Bu atın sahibi kimse bir gün ortaya çıkacaktı. Bu kişi kimdi acaba? Belki gözü kanlı, dediğinden dönmez bir Beydi. Belki de pısırığın birisi.

Aradan altı ay geçti. Ahmet korkusunu da, kuşkusunu da, büyük sevincini de unuttu.

Bir gün, bir sabah vakti, güneş gelmiş Ağrıdağının böğrüne kıpkırmızı donmuş oturmuşken Sofi değneğine basa basa, ak uzun sakalı titreyerek Ahmede geldi:

"Duydun mu Ahmet?" diye sordu..

Ahmet:

"Duydum," dedi.

"Beyazıt Paşası Mahmut Han atını arıyormuş."

Ahmet:

"Duydum," dedi.

"Atı getirene beş at, bir de elli altın verecekmiş."

"Bele," dedi.

"Atı kimin evinde, kimin elinde bulursa onun kellesini vuracakmış."

Ahmet:

"Ne yapalım, at benim kısmetimdir," dedi.

"Ordusunu çekip gelecek üstümüze."

"At benim kısmetimdir."

"Mahmut Han zalim bir paşadır."

"At benim kısmetimdir."

"Mahmut Hanla başa çıkılmaz."

"At bana haktan yadigardır."

"Mahmut Han hakkı, yadigarı bilemez. O, Osmanlı olmuştur."

"At bana yadigardır."

Aradan bir ay geçti geçmedi, Mahmut Hanın adamları Ahmedin evine geldiler:

17

"Paşa diyor ki," dediler, "attan at, maldan mal, paradan para beğensin, dedi," dediler. "Bes atımı versin. Mademki atım kaçmış gitmiş onun kapısında durmuş, ne isterse ona veririm."

Ahmet:

"Han bilmez mi ki at bana yadigardır. Yadigar gelen at kimseye verilmez. Baş verilir, at verilmez, Paşa bunu bilmez mi?"

"Paşa bunu bilir ama, gene de atını ister. O at da ona yadigardır. Kardeşi kadar sevdiği Zilan Beyinden yadigardır."

Ahmet:

"Paşa maldan mal, candan can istesin, ama yadigarımı ona vermem," dedi, kesti attı.

Paşanın adamları:

"Paşa dedi ki arkasındaki ulu dağa, başındaki birkaç ipsize güvenmesin. Dağını da, başındakileri de yerle bir ederim, dedi. Hem de eder," dediler.

Ahmet bir daha konuşmadı. Sofi de konuşmadı. Paşanın adamları eli boş öfkeli oradan ayrıldılar.

Komşular, yakın köyler, gözü kanlı Kürt Beyleri Ahmedin başına toplandılar.

"Kim görmüş ki," dediler, "kim görmüş ki haktan yadigar gelmiş at, Bey de olsa, paşa da olsa sahibine geri verile!"

Ahmet:

"Kim görmüş ki," dedi, başka bir şey demedi.

Paşa sonucu böyle ummuyordu. Ahmedin karşılığı gelir gelmez öfkeden delirdi. Paşa geleneği biliyordu. Osmanlı Padişahının, Acem Şahının atı gelse de kendi sarayının kapısında dursa, ölümü göze alır da atı onlara geri vermezdi. Veremezdi ama, şu Ahmet, şu dağlı parçası da kim oluyordu?

Atını alacaktı. Konağı velveleye verdi. Adamlarını, kumandanlarını topladı, bir karara varamadılar. Bu at yüzünden bütün Ağrıdağı ona karşı duracaktı. Ahmet yalnız değildi.

Kendisine dost, bir dediğini iki etmeyen Kürt beylerini saraya çağırdı. Vanın, Patnosun, Süphan dağının, Muşun, Bitlisin beyleri güzel atlara binmiş geldiler. Mahmut Han büyük toyluk eyledi. Konuklarını şimdiye kadar görmedikleri bir biçimde ağırladı. Sonra da divan kurdu, onlara olanı biteni, başındaki belayı anlattı.

"Bir dağlı, bir talancı, bir çocuk, daha bıyığı bitmemiş, benim atımı çaldı, bana hakarette bulundu," diyordu.

Paşaya hiç kimse yadigarı anlatamadı. Bütün Ağrıdağı insanlarının kellesi gider de, bu at bu saraya bir daha dönemez, diyemediler. Hep sustular. Onlar sustukça Paşa öfkelendi. Ve sözünü kesti attı:

"Bu atı sizden isterim," dedi.

Kürt beyleri istemeyerek, Ahmede, Ağrıdağı insanlarına umucu gönderdiler. Ahmet atı onlara da vermedi. Bir de zehir zıkkım bir söz gönderdi. Onlar bilmiyorlar mı ki yadigar gelmiş, gelmiş de kapıda durmuş, üç kere götürülüp bırakılmış, sonra da geri dönmüş bir at kimseye verilemez? Bu at benim değil, gelmiş Ağrıdağının başına konmuş. Onlar ki bey olmuşlar, nasıl dilleri varır da bizim atımızı isterler? Onlar bey değil, Paşaya kul olmuşlar, dedi.

Kürt beyleri Ahmedin bu sözlerine kızmadılar, öfkelenmediler. Ağrıdağlılar haklı, dediler. Ama çaresizdi. Paşa atı için her şeyi göze alacaktı.

Paşa Kürt Beylerinden de imdat olmayınca hazırlığa girişti, asker topladı, Kürt Beylerini de yanına alıp Ağrıdağının üstüne yürüdü.

Güz aylarıydı, Ağrıdağı etekleri yangın yeriydi. Kırmızı, mor kayalıklar, ufak, çürük kepir taşları atlarının nalları altında sular gibi çağıldayarak aktı. Bir ikindiüstü Ahmedin köyü olan Sorike geldiler. Köy ıpıssızdı. Bir can bile yoktu. Köyde mola verildi. Evlere ateş verdirdi Paşa sonra da. Yanan bir evden çok yaşlı, ak sakalları ise bulanmış, uzun kaşları gözlerini örtmüş, yepyeni, mavi işlemeli bir şal-şapik giymiş bir yaşlı çıktı Paşanın karşısına. Bu kişi Sofiydi. Paşaya dik dik baktı. Kartal gözleri kıvılcımlıydı.

"Bütün bunlar bir at için mi, Paşa?" dedi. "Dünya dünya olalı kim kapısına gelen atı geriye vermiş? Sen bunu bilmez misin Paşa? Sen Osmanlı olmuşsun Paşa. Yoksa bir at için bu işleri başımıza açmaz, evleri yakmaz ocakları söndürmezdin. Ağrının laneti, Ağrının gazabı, Ağrının hışmı senin üstüne olsun Paşa. Babanı tanırım. Yiğit bir beydi. Sen paşa oldun. Sen yozlaştın Paşa. Baban yadigar atı kimseden istemezdi. At, bir dul

Kürt beylerinin Ahmedin sözlerine kızmayıp,
öfkelenmeyip, "Ahmet haklıdır, "dedikleridir

kadının, bir sabi çocuğun, bir hırsızın, bir düşkünün kapısına gelse dursa da istemezdi. Baban Beydi, sen paşa olmuşsun. Ağrının laneti başına olsun."

Paşa konuşmadı, yalnız:

"Şunun ellerini bağlayın, boynuna bir lale geçirip zindana götürün," dedi.

Ağrıdağı eteklerinde, yamaçlarında çok köy vardı. Mahmut Han arkasında Kürt beyleri, beylerin adamları, kendi askerleri köy köy dolaştılar. Hangi köye vardılarsa, o köyü bomboş buldular. Sanki hiçbir köye insan ayağı değmemişti. Köyleri boş buldukça Paşa kuduruyor:

"İsyan bayrağı açtılar," diyor köpürüyordu.

Paşa çok uzun boylu, kartal burunlu, kara gözlü, kara kıvırcık sakallıydı. Her halinde, davranışında, elini sallayışında, konuşmasında kendine güveni ortaya çıkıyordu. Çok az konuşuyor, hep düşünüyordu. Uzun adımlarla bir heybet gibi yürüyordu. Samur kürkünün içinde terliyordu boyuna.

Iğdır ovasından Başköye geçti. Ahuri koyağına çıktı, oradan Ahuri yaylasına geçti. Hiç kimseyle, ne bir çoban, ne bir yolcuyla, ne bir eşkıyayla karşılaşmadılar. Bir kuş, bir ayı, bir tilki, bir kaplan, hiçbir canlıyla da karşılaşmadılar. Dünya ilk kurulduğundaki gibiydi. Siniler sinek yoktu.

Paşa:

"Bulacağım onları," dedi. "Yer yarılıp da yere geçseler bulacağım. Dünyanın öteki ucuna kaçsalar da İrana, Hindistana, Çine Maçine de gitseler bulacağım."

Yanındaki Kürt beyleri ağızlarını açmıyorlardı. Hepsi dilsiz kesilmişi.

Kış gelip çattı. Atları, kendileri, ağırlıklı askerleri yorulmuştu. Ağrıyı dolanıp küçük Ağrının dibine gelmişlerdi. Paşa sararmış solmuş, halden düşmüştü. Hiçbir canlıyla karşılaşmamaları onu deli etmişti. Artık hiç kimseye bir tek sözcük bile olsun söylemiyordu. Yanındakiler, onun ne istediğini hareketlerinden anlamaya çalışıyorlardı. Ve durmadan Ağrı yöresinde dolaşıp duruyorlardı. Umutsuz.

Kürt beylerinden Molla Kerim yüze gelip Paşaya dedi ki:

Sofinin zindandaki halidir

"Paşam, bu Girid dağında biz bundan sonra bin yıl adam arasak da bulamayız. Bu dağlılar saklandıkları zaman öyle bir saklanırlar ki onları şeytan bile bulamaz. Toprak benim başıma," dedi.

Paşa gözlerindeki sonsuz kederle onun yüzüne baktı ama, hiçbir şey söylemedi.

Ağrıdağını aramaya devam ettiler. Paşa içinden diyordu ki, bir tek adam göreyim şu dağlılardan, şu koca Sofiden gayri, başka bir şey istemem.

En sonunda beyler aralarında toplandılar. Bu iş böyle nereye varacaktı, dolaş dolaş ne olacaktı? Paşa da hiçbir şey anlamıyor, köyleri boş gördükçe deliye dönüyordu. Bu böyle sürüp gidemezdi. Daha uzun bir süre de dolaşamazlardı Ağrıda. Bir bora fırtına, bir çığ hepsini toptan yok edebilirdi. Bunu da Paşaya söylemişler, Paşa duymamıştı bile. Uzun konuştular, Paşaya bir teklifte bulunmayı uygun buldular.

Molla Kerim Paşanın karşısına çıkıp el pençe divan durdu ve vardıkları sonucu söyledi:

"Paşam," dedi, "biz toplandık, karar verdik. Üç dört aya varmadan, yaz bahar ayları demeden atı da, Ahmedi de bulup sana teslim edeceğiz."

Paşa:

"Benim derdim Ahmet değil. At da değil. Bu kadar dağlı nereye çekilip gitti? Sofiden başka kimseyi bulamadık bu kadar dağ köyünde. Bir karınca bile göremedik. Köylüleri de isterim bahar gelmeden, karlar erimeden," diye konuştu.

Beyler gene toplandılar, uzun uzun konuştular, Molla Kerim gene geldi Paşaya:

"Olur Beyim," dedi. "Bahar daha doğmadan sana köylüleri de göstereceğiz. Dünyanın neresine kaçmışlarsa bulacağız."

Beyazıda, saraya döndüler. Paşa beyleri divana topladı, her birisini teker teker armağanladı. Beyler Paşanın bu davranışından sonsuz kıvanç duydular. Ama Ahmedi nasıl bulacaklardı? Bu dağlılar isteseler kıyamete kadar ele geçmezlerdi.

Paşa çok okumuş bir adamdı. Osmanlıya, Osmanlının ününe şanına çok bağlıydı. Onun dedesi, dedesinin dedesi de bu dağlardan olurdu. Ne zaman dağdan aşağı indiklerini bilmiyordu. Bil-

Paşanın, "Benim derdim Ahmet değil, at değil," diye öfkelendiğidir

diği bir şey varsa o da babasının Erzurum Medresesinde okuduktan sonra İstanbula gittiği, saraya kapılandığı, oradan da buraya paşa olarak gönderildiğiydi. Babası yaman, kartal gibi bir adamdı. Beyazıda, şu kayalıkların üstüne bu koca sarayı yaptırmış, bilim adamlarını, dengbejleri, ozanları, sarayına toplamış, Erzurumdan Karsa, Karstan Vana kadar tekmil Kürt Beylerini dize getirmişti. Babası uzun yaşamıştı. Son gününe kadar da at üstünden inmemişti. Yazın Ağrıdağındaki yaylasına çıkar, bu saraydan daha değerli saydığı ulu çadırını büyük bir düzlüğe kurardı. Düzlük dağın buzullarının başladığı yerdeydi. Ve bu dağlılar babasını çok sayarlardı. Belki de korkularından... Babası da dağlıları çok sayardı. Onların törelerince davranırdı. Mahmut Han babasının kırk elli kavalcıyı bir araya getirip, onlara çadırında hep birden kaval çaldırdığını ansıyordu.

Babasının bir atı kaçsa da gitse böyle bir Ahmedin kapısında dursaydı acaba atı geri verirler miydi? Vermeseler babası nasıl davranırdı acaba? İşte bunu bir türlü kestiremiyordu.

Şu Beyler nasıl bulacaklardı dağlıları? Ya çekip çok uzaklara, İrana, Horasana gitmişlerse? Ya da Kafkas dağlarına sığınmışlarsa? Nasıl bulabilirlerdi Beyler onları?

Paşa da babası gibi önce Erzurumda okumuş, sonra İstanbula gitmiş, saraya kapılanmış, orada kendini göstermiş, Padişahın ordusuyla savaşlara katılmış, yiğitliği, gözü pekliğiyle ün salmıştı. Şamı, Halebi, Kahireyi biliyordu. Bir süre oralarda yaşamıştı. Sofyayı, Deliormanı da biliyordu. Doğuyu batıyı bir iyice dolaşmıştı. Babası ölmeden on iki yıl önce de buraya, Beyazıda, saraya gelmiş, babası ölünce de yerine paşa olmuştu. Onu, oraya babası çağırmıştı. Yoksa onun İstanbulu bırakıp hiçbir yerlere kıpırdayacağı yoktu.

Önce bu yabanıl insanlara, bu dağlara alışamadı. Sarayın İstanbulda bile bir eşi yoktu ama, bir sarayla iş olmuyordu ki... Bir de bu dağların kadınları çok güzel oluyordu. Dünyanın hiçbir yerinde böylesine ince yapılı kadınlarla karşılaşamazdınız. Önce bir Ermeni kızıyla evlendi. Sonra bir Kürt Beyinin kızını aldı. Üçüncü karısını Kafkasyadan getirdi. Dördüncü karısı Urmiye gölü kıyılarındandı. Üç kızı, sekiz oğlu oldu. Beş de kardeşi vardı. Akrabaları, aşireti Iğdır ovasında oturuyorlardı. On-

25

larla o kadar çok ilişiği kalmamıştı. Biraz hor görüyordu onları. En küçük kardeşi sarayı bırakmış, Iğdır ovasına gitmiş, aşiretten bir kızla evlenmiş, onlarla birlikte yaşamaya başlamış bir daha da saraya hiç dönmemişti. Kardeşine kızıyordu. Paşanın büyük bir tutkusu vardı, o da geyik avıydı. Her bahar yanına en keskin atıcılarını alır, Van gölünün üstündeki Esrük dağına, Sor koyağına, Zil koyağına, Süphan dağına ava çıkar, yüzlerce geyik postuyla geriye dönerdi.

Paşanın kızlarından birisinin adı Gülistan, birisinin adı Gülriz, birisinin adı Gülbahardı. Gülistanın anası Ermeni kızıydı. Büyük ela gözlü, kırmızı saçlı, uzun kirpikli, uzun boyluydu. İstanbuldan gelirdi giyitleri... Saraydakiler gibi giyinirdi. Gülriz kumrala yakın sarı saçlıydı. Çok uzun, kuğu boyunluydu. Kıvırcık kirpikliydi. Gözleri çok maviydi. O da kız kardeşi gibi İstanbulca giyinirdi. Gülriz kız kardeşleri arasında okumaya çok meraklıydı. Ahmedi Haninin şiirlerini ezbere bilir, gelir daha çocukluğundan bu yana babasının divanında şiir okurdu. Babası çocuklarının arasında en çok Gülrizi severdi.

Gülbahar orta boylu, dolgundu. Duru, açık bir teni vardı. Buğday benizliydi. O, kız kardeşlerinden başka türlüydü. Ağrıdağı kadınları gibi üst üste dökmeli fistanlar giyer, saçlarını kırk örgü yapardı. Gerdanlığı altındı. Ayak bileklerine Ağrıdağı kadınları gibi altın, inci, zümrüt halhallar takardı. Çok zekiydi. Az konuşur, hep inceden gülerdi. Öteki kardeşleri erkek olsun, kız olsun, saraydan çok az dışarı çıkar, çok az halkın arasına katılırlardı. Gülbahar böyle değildi. O, hep halkın arasındaydı. Toylardan, düğünlerden, derneklerden hiç eksik olmazdı.

Beyazıt kasabasının halkı, Ağrıdağının köylüleri Gülbaharı çok seviyorlar, ona bir ermiş gözüyle bakıyorlardı. Nerde bir hasta, nerde bir yardıma muhtaç kimse, nerde bir yaşlı varsa Gülbahar onun yanındaydı. Bir usta atçıdan daha usta ata biniyordu. Ve Paşa bu kızını uzaktan uzağa, ona hiç karışmadan izliyor, içinden, bu kız erkek olsaydı Ağrıdağının padişahı olurdu, diye geçiriyordu.

Gülbahar, sarayı hiç sevmiyordu. Kardeşleriyle de hiç anlaşamıyordu.

Köylüler onun adını hiç söylemiyorlar, ona hep Gülen Kız diyorlardı. Gülerken yanakları çukurlaşıyordu. Sıcak, kederli gözleri, uzak bir özlemle yanıyordu. Bu yıl yirmi ikisine basmıştı.

Sarayda babasının atı meselesiyle en çok ilgilenen Gülbahar olmuştu. Bu atın bir bildiği vardı. Atın macerasını Sofiden dinlemişti.

Sofiyi de çok sevmişti. Zindandaki Sofiye her gün kendi eliyle yemekler götürüyor, durmadan ona sorular soruyordu.

Sofi:

"Valla balam, doğrudur," diyordu. "Atı üç kere ben kendi elimlen aşağılara götürdüm, yola bıraktım. At üçünde de geldi. Ahmedin kapısında durdu. Bu at Ahmede yadigardır. Hak onu Ahmede göndermiştir. Ahmet atı kimseye veremez. Verirse olmaz. Bütün Ağrıdağı ölür, atı veremezler."

Bir gün Sofi Gülbahardan bir kaval istedi. Gülbahar hemen ona çok eski, belki yüz yıllık bir kaval getirdi verdi. Ve Gülbahar onun kaval istemesine çok şaştı. Sofi, bu yaşlı haliyle nasıl kaval çalacaktı? Kaval çalmak bir soluk, bir diş işiydi. Kavalı ancak gençler iyi çalabilirlerdi. Gülbahar baktı ki bu kocamış, beli bükülmüş adamın dişleri öyle duruyor, öyle apak.

Kavalı eline alır almaz Sofi başladı çalmaya. Gülbahar bu kaval sesi karşısında lalü ebkem kaldı. Orada, zindanın kapısına oturdu, belini duvara dayadı, Sofi çaldı o dinledi. Sofi coşmuştu. Durup dinlenmeden çalıyordu.

Kaval bittiğinde Gülbahar uzun bir uykudan uyanırcasına uyandı. Duyulur duyulmaz bir sesle:

"Sofi, bu kimin türküsüdür?" diye sordu.

Sofi:

"Bu," dedi, "Ağrıdağının öfkesidir. Ağrı çok öfkelenmiş, sonra da atalar Ağrının bu öfkesine türkü yakmışlar."

Gülbahar her gün, daha gün ışımadan zindanın kapısına geliyor, Sofi de ona Ağrıdağının öfkesini çalıyordu. Gülbahar ne kadar sorarsa sorsun Sofi ona Ağrıdağının bu belalı öfkesinin ne yüzden ileri geldiğini, öfkenin ne olduğunu bir türlü söylemiyordu.

"İşte öyle öfkelenmiş," diyordu. "Öfkelenmiş de atalar onun öfkesi üstüne bu destanı çıkarmışlar. Ben destanın yalnız kaval dilincesini biliyorum. İnsan dilincesini yalnız dengbejler bilirler. Ben kavalcıyım, dengbej değilim."

Gülbahar çalıştı çabaladı. Sofiden Ağrıdağının öfkesinin aslını öğrenemedi.

Sofi:

"Benim kavalım," diyordu. "Sultanım, sana bu öfkenin hikayesini anlatmıyor mu? Vay başıma, toprak benim başıma, demek çok kocalmışım."

Gülbahar bu dağlarda bu ünlü türküyü çok duymuştu. Kadınlardan, çocuklardan, dengbejlerden, bilurvanlardan duymuştu. Ama Sofi gibisini hiç dinlememişti. Anlatsa bu öfkeyi, kim bilir Sofi nasıl anlatırdı?

Paşa da kızının bu zindandaki Sofiyle ilgilendiğini, her gün ona yiyecekler götürdüğünü, kavalını dinlediğini izliyordu.

Bir gün Sofiyi divanına çağırdı:

"Sofi," dedi, "at gelmeden, Ahmet gelmeden seni zindandan çıkaramam, istersen git atı, Ahmedi getir."

Sofi dikeldi:

"At da, Ahmet de gelemez. At, Ahmede haktan yadigardır. Ahmet gelir belki de, ama at gelmez. Ben de Ahmedi sana getirmem," dedi.

Paşa çok öfkelendi, Sofiyi zindana geri gönderip, Gülbaharı yanına istedi.

"Gülbahar," dedi, "bir daha bu Sofiyle uğraşmayacaksın."

Paşanın sarayda her sözü emirdir.

Ve birkaç gün sonra Hayderan aşireti beyinden haberci geldi: "Paşa merak etmesin, Ahmedin, atın, dağlıların yerini bulduk," diye. "Yakında at da, Ahmet de elinde olacak."

Ahmet tekmil dağlıları toplamış, ta aşağılara, Şemdinan Kürtlerine, Hakkari dağlarına gitmişti.

Beyler toplandılar, Milan Beyinin oğlunu ödevlendirip Şemdinana gönderdiler. Milan Beyinin oğlu Musa Bey, Ahmedi bir dağ düzlüğünde yüzlerce çadırın ortasında nakışlı, mor çadırında buldu.

Ahmet onu çok candan karşıladı. Musa Bey ona olanı biteni anlattı:

"Paşa seni görmek istiyor," dedi. "Senden başka bir şey istemiyor. Atı da istemiyor. Paşa köylerin Ağrıya dönmesini isti-

Gülbaharın, Sofinin kavalını dinlediğidir

yor. Beyler seni de, köylüleri de Paşaya bağışlattılar. Paşa seni
bes merak ediyor. Şu Ahmet de bir nasıl adammış diye. Paşa
demiş ki bizim beylere, bir gözüm görsün böyle bir yiğidi ona
on beş at daha vereyim. Şu dünya gözüyle öyle bir yiğidi göre-
yim bir kere. Beyler bana bunları söylediler, beni sana gönder-
diler."

Şemdinan Beyleri, Ağrılıların ileri gelenleri, beyleri, Ağala-
rı toplandılar, uzun uzun tartıştılar. Kimi diyordu ki bu bir tu-
zaktır. Kimi diyordu ki, bu kadar kartal gibi beyler böyle bir tu-
zak kuracak kadar küçülürler mi?

Bir koca Osmanlı paşası, bunca Kürt beyleri bir at için bu
kadar küçülürler miydi? Demek ki Paşa Ahmedi görmek isti-
yordu. Atım varmış da kimin kapısında durmuş, diye merak
ediyordu.

Ahmet, Sofinin zindanda olduğunu da Musa Beyden öğ-
rendi. Sofinin haline içi çok acıdı. Ağrıdağını bırakırlarken yal-
varmış yakarmış Sofiyi dağdan ayıramamıştı. Koca bir kaya gi-
bi Sofi dağa yapışmış kalmıştı. Paşanın onu zindana atacağını
ne bilirdi.

Musa Bey:

"Merak etmeyin. Sofinin işi iyi," dedi. Ve Gülbahar Hanımla
Sofinin zindandaki dostluklarını anlattı. Buna herkes sevindi.

Ahmet:

"Musa Bey," dedi, "mademki sen gelmişsin, senin hatırını
yerde koymam. Ağrıya dönerim. Paşaya giderim. Aşiret de dö-
ner. Yalnız Paşa atı bir daha göremez."

Musa Bey:

"Paşa seni istiyor," diye sözünü tekrarladı. "Bes seni gör-
mek istiyor."

Ve bir bahar günü dağlılar Ağrıya döndüler.

Ahmedi bütün Kürt Beyleri aldılar Paşanın sarayına getirdi-
ler. Paşa Ahmedi hiç kızmadan, biraz alaycı, tepeden karşıladı.

"Gel bakalım Ağrı Sultanı," dedi. "At nerede?"

Ahmet:

"At evimde," diye karşılık verdi.

"Sen atımı çaldın," diye güldü Paşa. "Benim atımı çalma-
nın cezası nedir bilir misin?"

Ahmet hiç boyun kırmadı:

"Ben atını çalmadım," dedi. "At bana haktan yadigar verildi. At sana geri verilmez. Senin soyun da bizim dağdan olur. Sen bu töreyi bilmez misin?"

Bunu duyunca Paşanın kanı başına sıçradı, bağırdı:

"Bilmem," dedi. "Ya atım gelir, ya da başını alırım. Atın şunu zindana."

Ahmedi getiren beylerin hiç sesi çıkmadı.

Ahmet zindana giderken:

"Paşa, Paşa," diye bağırdı. "Başım gider ama, sen o atı bir daha göremezsin. O at bir daha senin sarayına gelmez."

Musa Bey bu hali hiç beklemiyordu. Karşı koydu:

"Paşa," dedi, "bu sizin yaptığınız insanlık değil. Ben aldım getirdim Ahmedi. Zindana at diye getirmedim. Yalan söylediniz, kandırdınız bizi."

Paşa kükredi:

"Bunu da zindana atın," diye bağırarak emir verdi.

Musa Beyi de zindana götürdüler.

Paşa Kürt beylerine döndü:

"Bu muydu bana yapacağınız? Nerede atım? Ahmet geldi. Atım nerede? Atımı isterim. Bu lekeyi soyuma sürdüremem. Paşa atını bir dağlıdan alamadı dedirtemem."

"Zor ama, atı da getiririz," dediler.

Atın, Ahmedin, Sofinin, Musa Beyin hikayeleri Vandan Malatyaya, Malatyadan Kafkasa, oradan Anadolu içlerine kadar yayıldı. At üstüne, Ahmet üstüne dengbejler türküler çıkardılar, gittikleri yerlerde söylemeye başladılar.

Bu tuzak dağlıların çok zoruna gitti. Milan aşiretinin de çok zoruna gitti.

Zindana varır varmaz Musa Bey Ahmedin eline düştü: "Kusura bakma Ahmet," dedi. "Bilmiyordum. Beni bağışla. Yoksa seni getirmezdim. Benim başım gitmeden senin de başın gitmez."

Ahmedin gelişine Sofi çok sevindi. Onu kucakladı, öptü. Sonra da çekti kavalını, Ağrının öfkesini çalmaya başladı. Çaldı çaldı... Ahmedin, Musa Beyin gözlerinden yaşlar geldi. Uzun uzun çaldıktan sonra kavalı Ahmede verdi. Ahmedin içi yanıyordu. Ağrının laneti bu Paşanın başına olsun, Beylerin başına olsun, diye başladı kavalı çalmaya. Kaval başka bir türlü, başka bir sesle dile geldi. Gülbahar bu yeni sesi duydu. Bambaşkaydı. Bu da Ağrının öfkesini söylüyordu. Söylüyordu ama dağı taşı ayağa kaldıran, dağı taşı eriten bir sesle.

Gülbahar zindana geldi. Babasından da korkuyordu. Ama ne olursa olsun bu kaval çalan adamı görmeliydi. Sofiyi bahane ederek kaval çalan Ahmedi gördü. İçinden ne olduğunu bilmediği sıcacık, dostça bir duygu geçti. Babasının yaptığına deli divane olmuştu. Duvarın dibine oturup Ahmedin kavalını dinlemeye başladı. Kendinden geçti. Bir şey yapmalıydı, bir şeyler. Babasının insaniyetsizliğini örtmek için bir şeyler yapmalıydı. Musa Beyin de yiğitliği hoşuna gitmişti.

O gün mutfağa girdi. Kendini seven kadınlarla birlikte zindandakilere çok güzel yemekler yaptı, adamlarıyla zindana gönderdi. Bunu anası duydu:

"Paşa bu yaptığını işitirse," dedi, "hepimizin boynunu vurdurur."

Gülbahar:

"Bu kadar küçüldükten sonra ne yaparsa yapsın Paşa," diye karşılık verdi.

Günler geçti. Kürt beyleri ne atı bulup getirebiliyorlar, ne de bir haber gönderiyorlardı. Musa Beyle Ahmet de zindanda yatıp duruyorlardı. Gülbahar çok gizli onlara yemek gönderiyor, arada sırada da zindana gidip onları uzaktan gözlüyordu.

Bir gün dayanamadı, Sofiye:

"Ben Ahmetle konuşmalıyım," dedi. "Bir gece zindana geleceğim, söyle Ahmede."

Ahmedin sarışın, kıvır kıvır altın sarısı pırıltılı sakalı uzundu, dalga dalgaydı. Kirpikleri, iri, duru mavi gözlerine bir kederli özlemi katıyordu. Uzun boyluydu Ahmet. Saçları kıvır kıvır alnına dökülüyordu. Uzun ince yüzü yaralı bir karacanın acılı yüzünü anımsatıyordu. Bütün insanların kederi, özlemi, tutkusu gelmiş de bu yüze birikmiş. Bir düşte, bir büyüdeydi Ahmet. Aydınlık bir buğu ardındaydı yüzü. Görenin kanını kaynatan, uzak, bilinmez bir dünyanın ateşine alıp götüren bir tadı vardı duruşunun, bakışının. Gülbahar Ahmedi çok eskilerden tanır gibiydi. Sanki birlikte doğmuşlar, birlikte büyümüşlerdi. Öylesine aşinalık duyuyordu ona... Belki düğünlerde derneklerde, yaylada avda... Belki belki, kim bilir. Düşlerinde görmüştü belki de... Öylesine bildik, öylesine yakın.

Sofi:

"Nasıl olur, balam?" dedi. "Zindancıbaşı izin verir mi? Paşaya söyler, Paşa da hepimizin başını vurdurur."

Gülbaharın içine bir kurt girmiş durdurmuyordu. Geceleri gözlerine uyku girmez olmuştu. Ahmedin yüzü gözlerinin önünde bir sarı ışık gibi gelip gidiyordu. Gülüyor, iri, mavi gözlerinde kederlerin en acısını, en onulmazını taşıyordu. Büyük bir yarası, bir derdi olmalıydı Ahmedin. Onulmaz bir yarası... Belki kimi kimsesi, belki anası babası, belki kardeşleri, belki bir sevdiği yoktu. Dünyanın ortasında tek başına kalmış bir hali vardı. Yalnız, yapayalnız. Gülbahar bunu düşündükçe yüreğine ağı gibi bir acı doluyordu. Konuşmalıyım, diye söylüyordu kendi kendine durmadan. Onunla konuşmalıyım, onun yalnızlığına, acısına derman olmalıyım. Üstelik de zindanda fıkara.

Niçin hep onu düşünüyor, niçin o geliyordu gözlerinin önüne? Uykuda, düşte hep o vardı. Her nereye baksa onu görüyordu. Kime, neye dokunsa, önce ona dokunuyordu. Bir hoş olmuştu. Her nereye gitse yüreği onu zindana zindana çekiyordu. Gülbahar birkaç kere zindanı görmüştü. Kapısı ağır bir demir kapıydı. Zincirli, ağır bir kilidi vardı. Kapının kemeri, yanı, mavi çinke taşındandı ve taş kaba, pürtüklü yontulmuştu.

Zindancıbaşı Memoydu. Babasının en güvendiği, çocukları kadar sevdiği bir insandı. Memonun babası da sarayın en sadık, en yiğit adamlarından birisiymiş, Memo daha iki yaşındayken bir savaşta öldürülmüş.

Memo gençti. Çok yiğit, gözünü daldan budaktan sakınmaz, Paşa için canını verir bir kişiydi. Zindancıbaşıları hep böylesi adamlardan yaparlar. Memo hiç kimseyle konuşmaz, birisi ona bir söz söylese, bir genç kız gibi kızarırdı. Gülbahar kendisini bildi bileli Memo bir kere olsun onun yüzüne, gözlerinin içine bakamamıştı. Onu görünce hep kızarmış, dudakları mosmor kesilip, kanı çekilmiş, elleri titremişti. Gülbahar bütün bunları hep Memonun utangaç huyuna veriyordu. Hep yere bakar, hep utangaç bir kız gibi kızarır, hep hiç konuşmaz görmüştü Memoyu.

Sarayın mutfağı gizliden gizliye hep zindana çalışıyordu. Memoya da ayrıca güzel yemekler gönderiliyordu. Gülbahar her seferinde Memoya: "Kendi elimle sana yaptım, Memo kardeş," diyordu.

Böylece günler geçti. Gülbahar ancak birkaç kere daha uzaktan Ahmedin yüzünü görebildi, Memonun sayesinde. Memo bazı bazı zindanın kapısını açık bırakıyor, kendisi ortadan yitip gidiyordu. Ve Gülbahar zindanın taş merdivenlerinde, Sofiyle konuşmak bahanesiyle, Ahmedi zindanın derin kuyusunun dibinde dolaşır görüyordu. Bir hoş, bir dağ gibi, her adım atışında yerinden koparmışçasına sağlam yürüyordu. Ağır, heybetli, erkek.

Az yukardan, ince uzun birkaç pencereden zindanın dibine el büyüklüğünde, el büyüklüğünde ışıklar dökülüyordu. Zindanın kuyusu tam uçurumun başındaydı. Aşağıda Beyazıt ovası, ovada ulu yol bir uçtan bir uca uzayıp gidiyordu.

Arada sırada yoldan geçen kervanların çıngırak sesleri zindana kadar geliyor, zindan kuyusunun asılı durduğu uçurumda yankılanıyordu. Dağdan gelen, ovadan yükselen bütün sesler de bu uçuruma gelip yankılanıyorlardı. Kuyunun dibinde bir el büyüklüğünde, bir insan boyu yüksekliğinde de bir delik vardı. Ve bu deliği bilmeyen, duymayan yoktu. Sarayın yapıcıbaşısını, bütün halk bu yüzden kutluyordu. Onu bir ermiş sayıyorlardı. Üstelik bu yapıcıbaşı bir Süryaniydi. Çok hapiste yatmış bir kişiymiş. Zindanın derdini belasını onun kadar bilen çok az kişi varmış. Ne olursa olsun bu zindana bir göz deliği bırakacağım. Ne olursa olsun, dünyada ilk olarak, benim yaptığım zindanın karanlığına pare pare ışık düşecek. Ve hiçbir zalim benim yaptığım ışık ocaklarını tıkayamayacak söndüremeyecek...

Saray bittikten sonra, yapıcıbaşı, Paşaya bir mektup bırakarak ortadan yitip gitti. Mektubunda: "Kim ki," diyordu, "bu delikleri kapatır, o kişi bu sarayı temelinden yıkar. Bu sarayı ben o deliklerin ışığı üstüne kurdum. Kim ki zindanın ışık

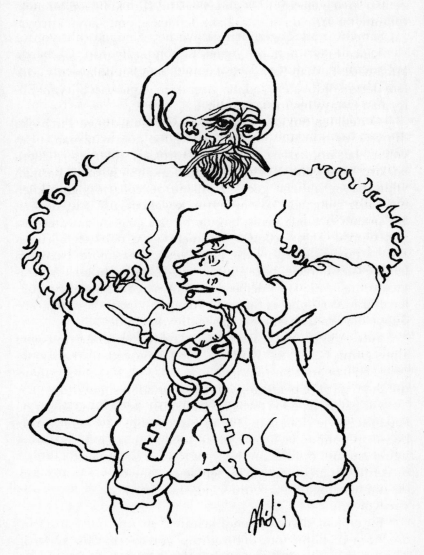

Memonun zindanın kapısında durduğudur

ocaklarını kapatır, tekmil belalar onun başına yağacak, hiçbir zaman soyu, geleceği iflah olmayacaktır. Kim ki benim bu mektubumu bu sarayda oturacaklara iletmezse, onun soyu kuruyacaktır."

Kurulduğu günden bu yana bu ışık ocaklarına kimse dokunamadı. Beyazıt Sarayı zindanı işte bundan dolayıdır ki dillere destan oldu. Her zindana giren kişi, yapıcıbaşı Süryani Süleyman Ustaya hayırdua okudu.

O delikten bakınca kış olsun, yaz olsun dünya bir başka dünya oluyordu. Ovanın üst üste, göğe doğru uzanan, uçan yolları, kuşları, karları, kervanları, turnaları, toyları, ördekleri, kazları, karşı yatık tepelerin üstüne çakılmış harman harman yıldızları ve yıldızlar geceleri çalkanırdı, yolları, göğe çekilen ince sular ışıltısında kıvrım kıvrım koyakları, üst üste, üç sıra, her sıranın arasında geniş, buğulu bir ışık çizgisiyle uçan ovası gibi olurdu. Dışarı çıkınca her mahpus, o delikten görünen apayrı, büyülü, çiçeğe, kara, ışığa, yeşile, bazı mora, bazı som bakıra, bazı maviye, bazı güneşe, sarıya, balkıyan bir turuncuya durmuş, andan ana değişen bir dünyaya durmuş ovayı günlerce arar, bir daha göremezdi. Mahpus zindandan çıkınca o dünya da, ova da başını alır başka diyarlara giderdi.

Sofi, Ahmet, Musa Bey, sırasıyla delikten dışarıya, başını almış gitmiş bahara bakıyorlardı. Sabahları ovadan arkadaki tepeleri belli belirsiz bir tül maviyle incelten bir buğu yükseliyordu. Buğu gittikçe pembeleşiyor, sonra ortadan siliniyordu.

Gülbahar tepeden tırnağa muhabbet kesilmişti. İliklerine kadar sevgiyle dolmuştu. Elinin her değdiği şey, canlı cansız bir sevgi yalımında ürperiyordu. Gülbahar sarayda bir sevgi uğuntusu gibi durmadan dönüyor, bir an olsun yerinde duramıyordu. Bir an büyük sevinç içinde çalkanıyor, bir an karanlık bir umutsuzluğa düşüyordu. Sevgisi de korkusu da hışım gibi vuruyordu.

Bir an için, diyordu kendi kendine. Şu zindanlık süre içinde. Ahmedi bütün ömründe görüp görebileceği bu kadardı. Başka türlüsü düşünülemezdi bile. Hiç kimse, babası bile, şahlar padişahlar bile, Kervan Şeyhi bile istese Ahmedi bir daha göremezdi. Dünyada her şeyin bir çaresi vardı, bu zindan bitince Gülbaharın Ahmedi şöyle uzaktan da olsa bir daha görebilmesinin hiçbir mümkünü çaresi yoktu.

Gülbahar önüne geçilmez bir coşkunlukla düşünüyordu her şeyi. Sevgiyi, umutsuzluğu, ölümü, ayrılığı, zulmü. Her duygusu dizgin tanımaz bir şahlanış içindeydi.

Birden durgunlaştı. Bütün bedeni yorgundu, her bir yanı havanda dövülmüş gibi. Yarı ölü gibi sarayda oradan oraya vurmaya başladı. Görenler şaşırdı. Gülbahar fırtınası durmuştu.

Böyle, hiç konuşmadan, bazan da hiç kıpırdamadan, donmuş, uykulu, ayağa kalkmış ölüye benzer üç gün Gülbaharın ağzını bıçaklar açmaz, dolaştı durdu. Yüzü sararmıştı. Donuk bir sarı. Saçları ışıltısını, dişi aklığını yitirmişti. İri gözleri sonsuz bir ışıltıda, bir parlayıp bir sönüyordu. Yüzünde, en tatlı yeri olan gamzelerinde derin bir gülüş, bir mutluluk, bir kıvanç donmuş kalmış, bir uzak kedere boğmuştu onun bütün bedenini.

Bir akşamüstü birden Gülbahar başkalaştı. İçindeki sevgi fırtınası esmeye başladı. Gülbahar yerinde duramadı. Gene tepeden tırnağa sevgi kesildi. Gene sevgisi, sevinci taşa toprağa işledi. Geceyi iple çekiyordu. Gece hiç olmayacakmış geliyordu ona. Hiç hiç, hiç gelmeyecekmiş gibi... Kendini sarayın dışına attı, bir süre uzaktan demirci dükkanının kıvılcımlarını seyretti. Demirci Hüso bir kıvılcım yağmuru altında yitiyordu. Sonra Ahmedi Haninin mezarına gitti, ona niyazda bulundu. Dualar etti, yardımını diledi. Duaları da bir çağlayan gibiydi. Set çekilmez. Ahmedi Haninin mezarından ayrıldığında gün batmış, o hiç gelmeyecekmiş gibi duran gece Ağrıdağının üstüne çökmüştü. İnceden de bir yağmur çiselemeye başlıyordu.

Artık her şeyi bilinçli, inceden inceye biliyordu. Kurtuluşu kalmamıştı. Akıbetinin üstüne yürüyecekti. Ne olursa olsun, ne pahasına olursa olsun.

Odasında ağır, nakışlı bir ceviz sandığı vardı. Sandığında büyükanasının ona armağan eylediği altın, yakut bir Kafkas gerdanlığı vardı. Sonra bir yüzük, birkaç incili bilezik, altın hamallar, ta Hintten getirmişti dayısı ona, bir hırızma, gene dayısı ona Afganistandan getirmişti, nesi var nesi yoksa topladı, bir kadife keseye doldurdu, doğru zindana gitti. Memo zindanın bitişiğindeki odasındaydı. Kapıyı çaldı, Memo kapıyı açtı. Kocaman kılıcı sağ kasığının üstünden ayak bileklerine kadar iniyordu. Abası doru bir tay postundandı ve Kafkas gümüşü, sırmasıyla işlenmişti. Keçe külahı başındaydı. Gülbaharı görünce yüzünde tarifsiz bir sevinç belirdi. Tarifsiz bir mutluluk sardı yüzünü. Bu sevinç Gülbaharın gözünden kaçmadı. Bir anda Memonun yüzü gene aynı hışımda bir umutsuzluğa, bir karanlığa dönüştü. Gülbahar da umuttan şaşkınlığa düştü. Memo gene kızardı, gözlerini yere dikti. Elleri, dudakları belli bir titremedeydi. Eli ayağı da tutmaz olmuştu.

Gülbahar elindeki keseyi Memoya uzattı:

"Al," dedi. "Bunların hepsini sana veriyorum." Memo keseyi aldı, baktı, elleri kuş gibi uçuyordu, titremekten. "Şu zindandaki Ahmedi bana göstereceksin."

Kese Memonun elinden taşların üstüne düştü. Gecede sert çıngırtılar çıkardı. Gülbahar eğildi, keseyi yerden aldı, yeniden Memoya uzattı. Memo keseyi almadı. Yüzünde bir damla kan kalmamış, bütün bedeninin kanı çekilmişti. Yüzü kağıt gibi apaktı.

"Al bunları Memo. Al bunları, beni içerdeki adamla görüştür. Ondan sonra git babama her şeyi söyle. Söyle ki başımı vursun."

Memo öyle kalakalmıştı. Neden sonra başını ağır ağır kaldırdı, Gülbahara baktı. Gözleri bir ölüm acısındaydı. Can çekişen bir adamın gözlerinin ölüm pırıltısındaydı. Gülbahar gözlerini indirmek zorunda kaldı.

Memonun elleri beline gitti, cansız, ağır... Belinden zindanın anahtarını çıkardı. Gülbahara uzattı, oradan uzaklaştı gitti. Gülbahar bir süre elinde zindanın anahtarı, sevinsin mi ağlasın mı, bocaladı durdu. Sonra ağlamaya başladı. Oraya, Memonun odasının kapısına oturdu, uzun uzun ağladı. Bir ara zindanın anahtarını oraya, zindanın kapısına bırakıp gitmeye davrandı, bir türlü yapamadı. Sonra zorla ayağa kalktı, ayakları ayaklarına dolanarak, yüreği göğsünü yırtarcasına döverek zindanın kapısına gitti. Koskocaman açkıyı kilide soktu açtı. Zindan karanlık. Çok aşağıda, zindanın kuyusunun dibinde görünür görünmez bir ışık ipiliyordu. Gülbahar yordamlayarak eski, bu saray yapılmadan yüzlerce yıl önce kayaya oyulmuş taş merdivenleri indi. Zindanın dibinde hiçbir kıpırtı gözükmüyordu. Her şey dümdüz, azıcık ışığın ipiltisinde dibe çökmüş kalın bir tortuydu. Zindanda hiç rutubet kokusu yoktu. Aşağılardan ekşi bir tavlanmış deri, post kokusu geliyordu.

Gülbahar merdivenin dibinde durup, zindanın dibini seçmeye çalıştı.

"Sofi, Sofi!" diye de usuldan seslendi.

Gülbaharın sesini duyan Sofi, don gömlek, telaşla merdivenlere atıldı:

"Buyur Sultanım," dedi. "Sen nasıl geldin buraya? Paşa hepimizin boynunu koparır. Haydi git. Buraya gelen ilk kadın, bu zindan yapıldı yapılalı sensin. Haydi, haydi, haydi çık dışarı. Buraya gelirken seni kimse görmedi ya..."

"Ahmet nerede? Ona haber ver."

"Şimdi, şimdi," dedi Sofi gitti.

Karanlık ağır tortunun içinden bir süre fısıltılar geldi, sonra her şey derin bir sessizliğe gömüldü. Gülbaharın yüreği küt küt atıyor, zindanın soğuk kayalığında yankılanır gibi oluyordu. Ya da Gülbahara öyle geliyordu.

Bekliyor, kimse gelmiyordu. Bekledikçe coşkusu artıyor, yüreği daha çok, vurulmuş bir kuş yüreği gibi çırpınıyordu.

Gülbaharın bu hali aşağıdan, tortudan bir karartı, upuzun ayağa kalkıp yürüyünceye kadar sürdü. Kız yürüyüp gelen karartıyı görünce bir hoş oldu. Eli ayağı çözüldü, başı döndü, duvara tutunmasa düşecekti.

Ahmedin soluğunu yüzünde duyunca birden kendine geldi. İkisi de bir süre öyle durdular kaldılar. Hiçbirisi konuşamıyordu.

Önce Ahmet:

"Gülbahar," dedi, "sen misin?"

Gülbahar:

"Benim," dedi duyulur duyulmaz.

Sanki çok eski zamanlardan beri dosttular, sevgiliydiler, candılar, ikisini de bir sevgi bulutu sardı. Sıcak, güzel, dost... Bütün zindana dağıldı bu sevgi. Ve zindanda bir sürü kınalı

Gülbaharla Ahmedin buluştuklarıdır

keklik vardı. Sofi nereden bulmuşsa bulmuştu. Keklikler gece yarısı, sabaha karşı, dal öğlen, ne zaman olursa olsun keyiflenince ötüyorlardı. Aşağıda tortunun içinden bir keklik sesi geldi. Gülbaharı bu beklemediği ses irkiltti. Elini uzattı, Ahmedin elini tuttu, merdivenlerden yukarıya çıktılar, zindanın kulesinin oraya vardılar. Ovadan yanaydı kule. İki adım öteleri ucu bucağı belirsiz, derin uçurumdu. Uzaklarda yıldızlar, ova, incecik kalmış tepelerin üstüne bir ulu karanlık, Ağrının gölgesi çökmüştü. Ağrının üstünde çok eski, bir yanı silinip körlenmiş, donuk bir ay asılmış duruyordu. Az sonra ayın üstünü kapkara bir bulut örttü. Gülbahar Ahmedin elini bırakmamıştı. Gittikçe elleri yanıyordu...

Sabahın ilk horozları öterken kulenin dibinden kalktılar. Bir yalım parçası ortadan koparcasına elleri biribirinden ayrıldı. Gülbahar hiç ayrılmak istemiyor, gün batıncaya kadar burada, böylece susarak, Ahmedin elini tutmanın korkunç tadını sürdürmek istiyordu. Bundan sonra alaca kanı varsın toprağı sulasındı. Ahmedin elini bir daha tuttu. İki yalım yeniden birleşti. Ortalık gittikçe ışıyordu. Gene elleri biribirinden ayrıldı. Ahmet yürüdü gitti, zindana girdi. Gülbahar ağır zindan kapısının Ahmedin ardından kapanan sesini duydu. Bir süre bomboş ne yapacağını, nereye gideceğini bilemez orada durdu, sonra elindeki Memoya vermesi gerekli anahtarı gördü. Zindanın kapısına yürüdü, Memonun odasına geldi. Odanın kapısı açık duruyordu, Memo içerde yoktu. Bir telaşa kapıldı, Memoyu koşarak bütün sarayda aramaya başladı. Memoyu sarayın iç surunun dışında, büyük kapının sağına oturmuş, belini de duvara dayamış buldu. Ölü gibiydi, hiç kıpırdamıyordu. Gülbaharın ayak sesi de Memoyu kendine getiremedi.

Gülbahar Memonun kulağı dibinde anahtarı şakırdattı. Memonun yüzünde, tutumunda hiç değişiklik olmadı. Gülbahar onun başında, bekledi bekledi, ötekinde hiçbir değişiklik olmadı. Açkıları kucağına bırakıp:

"Sağ ol Memo kardeş," dedi. "Bu iyiliğini ölünceye kadar unutmayacağım."

Memoda gene hiçbir kıpırtı olmadı. Gülbahar ondan uzaklaştı ve gün doğdu.

Ahmet zindanın dibinde şimdi yapayalnız bir taş gibi kalakalmıştı. Bu gerçekleşen mucizeye, Gülbaharın sıcak büyüsüne, sıcacık kadın kokusuna bir türlü inanamıyor, bu gece ona bir düş görmüş gibi geliyordu. Bir an ikircikleniyor, düş mü gerçek mi, diye kendi kendine soruyor, iliklerine kadar sevdayla, mutlulukla doluyor, sonra gene boşluğuna, inanmamazlığına, yalnızlığına dönüyordu.

Demek at bunun için geldi de kapısında durdu. Demek Tanrı böyle yazmış. Bu at, bu kız bana Tanrının, Ağrının armağanıdır. Buna layık olmak gerek. Gülbahar bir Ağrı çiçeği gibi keskin kokulu, kütür kütür sağlıklı, baş döndürücüydü.

"Sofi kavalı ver," dedi.

Sofi ona kavalı verdi. Şimdi Sofi, Musa Bey ve zindan, keklikler yepyeni, duyulmamış bir hava dinliyorlardı kavaldan. Gülbahar bu havayı işitse sevincinden deli divane olurdu.

O gün Gülbahar hiç durmadan bütün gün konağın içinde döndü durdu. Dalgın, uyurgezer, hiçbir şey yemeden, hiçbir şeye elini sürmeden... Babası Ahmedi bırakmayacaktı. Bıraksa da onlar hiçbir zaman kavuşamayacaklardı. Bir paşa kızını hiçbir zaman bir dağlıya vermezdi. Hem de böyle asi bir dağlıya.

Zindandan gelen kaval sesini duyunca kendine geldi. Tepeden tırnağa bütün bedeni çımgışti.

Ahmet zindandan çıksaydı, bir gece gelseydi, onu atının sırtına atsaydı, sürseydi bol ceylanlı çöle... Orada uzun çadırlı Kürt obaları, oymakları vardı. Ve Kürtler konuksever olurlardı. Bir de Ağrıdağı insanına bir başka türlü bakarlardı. Bir başka dünyanın yaratığıymış, kutsal bir şeymiş gibi. Ama nerede olursa olsun babası onu buldurur, öldürtürdü. Osmanlının eli kolu uzundu, ta dünyanın öteki ucuna kadar, Ahmedi de öldürürlerdi. İçi yanıyordu.

Bu gece de Ahmede gitmeliydi. Her gece. Ama babası duyarsa Ahmedi de öldürürdü, onu da. Memoyu da öldürürdü. Memonun hali bir hoştu. O kadar altını almamıştı. Ve açıkları ona vermiş çıkmış gitmişti. Memoyu düşündükçe, onun acılı yüzü gözlerinin önüne geldikçe kahroluyor, elinden geldikçe Memo düşüncesini kafasından kovmaya çalışıyor, onu hiç düşünmek istemiyordu. Çok derinden bir şeyler sezmişti, ta eski-

42

den beri Memoda, Memo ona her zaman bir hoş davranmıştı. Memoya giderken ne pahasına olursa olsun Memonun onun isteğini yerine getireceğini biliyordu.

Her gece, o burda, zindanda kaldığı sürece onunla buluşmak istiyordu. Ama her gece Memodan açkı nasıl istenir, onun o acılı yüzüne nasıl bakılırdı. Memo ölümden beter bir işkence çekmişti, açkıyı verirken. Bu Gülbaharın değil, hiç kimsenin gözünden kaçamazdı.

Gülbaharın içindeki bütün duygular başkaldırıyordu. Her şeye, babasına, geleneklere, saraya, Ağrıdağına, bütün dünyaya başkaldırıyordu.

Divandan babasının tok, gür sesi geliyordu. Mahmut Han çok yakışıklı bir adamdı. Kürtçe konuştuğu zamanlar çok daha candan, sıcak, yakışıklı oluyordu. Ulu bir kartala benziyordu. Gülbahar da şimdiye kadar yalnız babasını severdi. Ona hayrandı. Babası da kızının onu sevdiğini bilirdi.

Akşam oldu, gün battı. Gülbahar sarayın içinde dolandı durdu. Dolaşıyor, bir türlü divanın önünden ayrılamıyordu. Divandan el ayak çekilmişti. Gülbahar bunu seslerin kesilmesinden anladı. Babası şimdi yatsı namazına durmuş olmalıydı.

Şimdi varsam, diye düşündü Gülbahar, Mahmut Hanın ayağına düşsem, ben senin kızın değilim Mahmut Han, evine umucu geldim. Dizlerim üstünde sürünerek umucu geldim. Ahmedi bana bağışla Hanlar Hanı Mahmut Han. Soyunu inkar etme Mahmut Han. Senin soyun ünü büyük Ağrıdan olur, dedem söylerdi, hiç duymadın mı Mahmut Han? Evimizin yanında kartalların yuvası varmış eskiden, desem...

Bir seferinde, az kalsın, kapıyı bir asker açtığında içeri girecekti. Kendini zor tuttu. Varıp Hanın ayağına kapanacaktı. Yüreği ağzına geldi. Sürüklenerek divanın kapısından uzaklaştı. Kendisi için olsaydı, iş kolaydı. İşi anlarsa babası Ahmedi öldürtürdü.

Gece yarısına kadar uyumadı. Bütün Beyazıt kasabası derin bir uykuya varmıştı. Arada bir zindandan gelen birkaç zincir şakırtısından başka bir şey duyulmuyordu. Gülbahar uzun bir süre yatağının içinde döndü durdu.

Bu işin sonu yoktu. Bir gün nasıl olsa yakalanacak, babası Ahmedi öldürecekti. Bu sarayda şimdiye kadar gizli kalmış hiçbir şey yoktu. Dün bir, bugün iki, kız kardeşleri onda bir değişiklik olduğunu sezmişlerdi. Buluşmalarını ya birisi görür, yarın sabah bütün saray çalkalanırdı, ya da zindancı Memo korkusundan babasına haber verir, canını kurtarırdı. Memo haber verir miydi?..

Bütün bu düşünceler, korkular onu yatağında daha fazla tutamadı, yataktan çıktı, bir anda da kendini zindanın kapısında buldu. Orada bir süre dolandı durdu. Memonun kapısına vardı. Bir süre de orada durdu kaldı. Cesaret edip de kapıyı çalamıyordu. İçinde korkuya, utanca, acıya benzer duygular biribirleriyle çatışıyordu. İçerde Memo onun kapıda olduğunu sezmiş, düşünüyordu. Birden kapıyı açtı. Gülbahar onu görünce hemen geriye döndü yürümeye başladı. Memo arkasından seyirtti, ona açkıları uzattı, odasını gösterdi.

"Burada konuşun," dedi, kısık, duyulur duyulmaz bir sesle.

Gülbahar zindanın demir kapısını var gücüyle açtı. Taş merdivenlerden aşağıya indi.

"Sofi, Sofi," diye seslendi.

Ahmet soluğunu tutmuş akşamdan beri onu bekliyordu. O gittiğinden beri her an bekliyordu. Bir çıtırtı duymasın ayaklanıveriyordu. Hemen Gülbahara koştu. Eller birer yalım gibi biribirine kavuştu.

Memo neden odasını gösterip burada konuşun demişti. Memo bir ermiş miydi? Bu kadar cömert, böyle bir insan bu yeryüzüne gelebilir miydi? Gülbaharın içine bir eziklik geldi. Ahmedi başka yöne, gene zindanın üstüne, zindan kulesinin sağına, doğuyu gören uçurumun başına götürdü. Duvarın dibine çöktüler. El ele hiç kıpırdamadan öyle kaldılar, yürek yüreğe. Gecenin sessizliğinde biribirlerinin kanlarının süzülüşünü bile duyuyorlardı.

Gülbahar, yanık, ağıt gibi bir sesle:

"Doğru mu? " diye sordu.

Ahmet:

"Ne?" diye soruyu karşıtladı.

Gülbahar:

"Kırk gün içinde atı getirmezsen babam senin de, Sofinin de, Musa Beyin de başını vurduracakmış."

Ahmet:

"Doğru," dedi.

Gülbahar bir inilti gibi konuştu, ama ne dediği belli olmadı. "Beni hatırladın mı?" diye sordu. "Hani yaylada Küp gölünün üstündeki toyda?"

Gülbahar:

"Hiç aklımdan gitmedin," dedi. "Koçer başı sendin. Sen de beni?"

Ahmet:

"Şimdiki gibi gözlerimin önündesin. Ayak bileklerinde kırmızı mercandan halhallar vardı."

Gülbahar, tatlı, kendinden geçmiş, bir düş içinde uçuyordu. "Yaylada," diyordu. "Küp gölünün üstünde, uzun saçlı bir dengbej üç gün, üç gece Siy Ahmede Silivi türküsünü söylemiş de bitirememişti. Daha başındaydı türkünün."

Ahmet:

"O, o türküyü kırk gün söyler," dedi. "Çok uzundur."

Gülbahar:

"At gelmezse, babam üçünüzü de öldürür," diye derinden içini çekti. "Aaah!"

Ahmet:

"Bizim boynumuzu vurduracak, vurdursun. Ama yüz yaşında Sofinin de boynu vurulur mu? Bu zulüm işte," dedi. "Dünya dünya oldu olalı yapılmamış, görülmemiş, duyulmamış bir zulüm. Yazık Sofiye. Çok kocalmış. Ama hiç aldırmıyor. Boyuna kaval çalıp gülüyor, oynuyor, iki büklüm beliylen. Yazığım geliyor Sofiye. Çok yazığım geliyor. Elimden bir gelir olsa kurtarırdım Sofiyi. Bu yaştaki bir insanın boynu vurdurulamaz. Paşa diyormuş ki ilk önce Sofinin boynunu vurduracağım, onların gözlerinin önünde diyormuş."

Gülbahar:

"Hiç kimse öldürülmesin," dedi.

Ahmet sustu.

Gülbahar onu kucakladı.

Ahmet:

"Paşa duymasın, seni de öldürür," dedi.

Gülbahar:

"Öldürsün," diye karşılık verdi, doygun, meydan okuyan bir sesle. "Varsın öldürsün."

Ahmet:

"Musa Beye de yüreğim yanıyor. Benim yüzümden. Atı getirtsem mi? Sofinin, Musa Beyin canını kurtarsam mı? Ama atı bizimkiler vermezler. Verseler ben zindandan çıkınca onların yüzüne nasıl bakarım? Bir canından korktu da hak armağanı atını Paşaya geri verdi, derler. Kimsenin yüzüne bakamam. Ama Sofinin, Musa Beyin canı?"

Gülbaharın boğazına bir yumruk gelmiş tıkanmıştı. Başını Ahmedin omuzuna koydu. Durmadan ağlıyordu. İçinden hep, at batsın, at batsın, batsın, diyordu.

Şafağın horozları öttü. Ağrının yamacına yapışmış güneş kıpkırmızıydı. Güneş değil de iri yuvarlak, parıl parıl yanan billur kırmızısı bir elmaya benziyordu. Camdan bir elmaya.

Elleri bir yalım gibi biribirinden koptu. Ahmet zindana yöneldi. Gülbahar orada kımıldamadan onun ardından baktı kaldı. Ayağa kalkacak dermanı kalmamıştı dizlerinde. Gün öğlen oluncadır ki ancak yerinden doğrulabildi. Boğuluyordu.

Babası öldürürüm demişse, öldürecekti. Padişahtan ferman gelse öldürürdü. O gün bugündür, hiç kimse onun bir sözünden döndüğünü görmemişti. Ahmet de çok kötü durumdaydı. Atı verip zindandan çıksa artık dağlarda, dağlıların gözünde bir ölü olacaktı. Sofinin, Musa Beyin suçu? Ahmet onları kendisiyle birlikte ölüme nasıl sürüklerdi?

Bunları böylece hem Ahmet, hem de Gülbahar düşünüyorlardı. Ölmek bile kurtaramıyordu Ahmedi.

Gülbahar için en küçücük bir umut ışığı yoktu. Ama hiç, hiçbir türlü bir ışık görünmüyordu, hiçbir yerden. Umutsuzluk ağır bir su gibi dört yanından yükseliyordu. Onu boğacaktı. Bir ömürde kırk günlük bir mutluluk... Ölene kadar bütün sevinci bu olacaktı. Kırk günlük bir sevinç. O da bir ölünün elini tutmanın sevinci, başı vurulmuş bir adamı kucakla-

manın sevinci... Ahmet atı getirse, teslim etse, başı vurulma-
yıp kurtulsa bile, Gülbahar onu bir daha bir ömür göremeye-
cekti. Ahmet dağına çekilip gidecek, o burada sarayda tek ba-
şına, kuyunun dibindeki taş gibi kalıp kalacaktı. Onun için
yaşam bitmişti. Üstelik Ahmet atı da vermeyecekti. Gülbaha-
rın gözünün önünde onun başını vuracaklar, kanlı başını sırı-
ğa geçirip alay alay kasabada dolaştıracaklardı. Sırma sakal-
ları kana bulanacaktı. Ben öpmeye kıyamazdım, bulayacaklar
kızıl kana, diyor ağlıyordu.

Ve kalenin burcundan aşağı fırlatıp atacaklardı bedenini
Ahmedin. Ta uçurumun dibine kayalara çarpa çarpa param-
parça düşecekti.

"Benim öpmeye kıyamadığım," diyor, bir ağıt olmuş, canı-
nı dişine takmış Ahmedi kurtarma çareleri düşünüyordu.

"Varsın o yaşasın da bir daha ölünceye kadar yüzünü gör-
meyim. Varsın yaşasın da... Varsın yaşasın. Dağlarda kurt sü-
rüsü kadar çocukları olsun. Varsın o yaşasın da, ben öleyim."

Belki bir umut vardı. Musa Beyin babası oğlunu böyle bıra-
kacak mıydı ki başını kessinler? Öteki Kürt Beyleri... Musa Bey
onların yalanlarına kurban olmuştu. Onlar gitseler de Sofinin,
Ahmedin, Musa Beyin başı için şu atı verin, Ağrılılar, deseler,
dağlılar atı onlara vermezler miydi?

Dağlılar sert adamlardı. Hiç kimseyi dinlemezlerdi ama,
umucuyu, yakarıcıyı da kim olursa olsun, niçin olursa olsun
kolay kolay eli boş çevirmezlerdi. Ağrıda her şey gelenekti.
Kimse geleneğin dışına çıkamazdı. Azıcık bir umut belirdi Gül-
baharın içinde.

Sonra birden aklına düştü. Ya ben gidip de dağlılardan atı
istesem? Hele bir kadını hiç mi hiç kırmazlardı. Beyler babam-
dan korkarlarsa, dağlılara gitmezlerse, ben gideceğim, ben dağ-
lılara... Ahmedimi kurtaracağım. Bir daha da ölene kadar yüzü-
nü görmeyeceğim. Bir kurt sürüsü gibi çocukları...

İşi güvendiği birisine açmalıydı. Belki de dağlılara kendisi
gitmeliydi. Ya da Musa Beyin babasına bir haber uçurmalıydı.
Dağlılara gitsin diye.

İkircik içinde sabahı etti. Ana bir, baba bir kardeşi Yusuf
onu çok severdi. İşi Yusufa açsa, Yusuf kendisini öldürmez

Gülbaharın kardeşi Yusufa gidip her şeyi anlattığıdır

miydi? Yusufa güvenilir miydi? Yusuf atı istemeye kendisiyle birlikte gelir miydi? Haydi Yusuf her şeyi kabul etti diyelim, dağlılar onu Ahmedin yerine tutsak almazlar mıydı? Kendisi tek başına gitse orada alıkoymazlar mıydı? Gülbahar, dağlılara haksızlık ediyorum, diye kendi kendine çıkıştı. Onlar babam gibi değiller, konuk gelmiş, yakarıcı gelmiş bir insanı tutsak kılmazlar. Onlar kendilerine umucu gelmiş bir kadına ne için olursa olsun dokunmazlar, bir kadın onlara ne yaparsa yapsın ona el sürmezler.

Yusufun odasına gitti. Yusuf daha uyumamış, sedire yan gelmiş eski bir kılıcı bileyliyor, parlatıyor, nakışlarını, yazılarını ortaya çıkarmaya çalışıyordu.

Gülbaharı görünce gülümsedi:

"Ne o Gülbahar," dedi, "bu gece vakti?"

Gülbahar gitti onun yanına oturdu. Yusufun ince, uzun soluk bir yüzü vardı. Sanki yüzü hiç güneş görmemişti. Yusuf çok da uzun boyluydu. Bir hoş, Gülbahara baktı. Gözleri soru doluydu. Gülbahar kardeşinin boynuna sarılıp ağlamaya başladı. Böyle bir süre ağladıktan sonra Yusuf soğuk, buz gibi bir sesle sordu:

"Ne var, neden ağlıyorsun Gülbahar?"

Gülbahar:

"Derdime çareyi bulsan bulsan, sen bulursun Yusuf," dedi.

Yusuf büyük ela gözlerini kocaman kocaman açtı:

"Derdin ne?"

Gülbaharın dudakları titredi. Bir süre konuşamadı, sonra:

"Beni ölümden sen kurtaracaksın."

Yusuf bir iyice şaşırdı, telaşlandı:

"Ne oluyor sana kız?" diye bağırdı.

Gülbahar:

"Babam onların boynunu vurduracak. Bunun önüne geçelim. Gidelim dağlılara, atı onlardan isteyelim. Biz istersek atı dağlılar bize verirler. Yusuf kardeşim, haydi gidelim dağlılara... Olur mu?" diye çabuk çabuk konuştu.

Yusuf:

"Sana ne?" dedi. "Onlardan sana ne? Babam haklı olarak o hainlerin başını vurduracak. Sana ne onlardan?"

49

Birden sözünü bıçak gibi kesti, dik dik Gülbahara baktı: "Yoksa Gülbahar," diye gürledi. "Yoksa?"

Gülbahar:

"Öyle," dedi duyulur duyulmaz bir sesle.

Yusuf ayağa fırladı:

"O Ahmet, öyle mi? Babam seni öldürür. Öldürür! Babam seni öldürür, öldürür..."

Yusuf odanın içinde gidip geliyor, gittikçe de kendinden geçiyor, bir tuhaf, eski bir ateş halayı çekiyor gibi oluyordu. Durmadan da:

"Babam seni öldürecek, öldürecek... Öldürecek, öldürecek..!" diye söyleniyordu, sayıklar gibi...

Hiç durmuyordu. Korkudan gözleri büyümüştü. Aklını oynatmış sandı Gülbahar.

"Yusuf sen delirdin mi?"

Yusuf uzun uzun güldü:

"Sen delirmişsin, sen! Sen delirmişsin, sen... Babam seni öldürecek."

Gülbahar son bir gayretle:

"Yusuf, Yusuf, Yusuf," dedi. "Benimle atı almaya gelecek misin?"

"Sen delirdin mi, sen delirdin mi?"

"Ama onların, Ahmedin boynunu vuracaklar at gelmezse. Ben de kendimi öldüreceğim."

"Sen kendini öldürme Gülbahar. Ne olur öldürme. Ben ata gidemem. Babam seni öldürecek. Olur mu Gülbahar, kendini hiç öldürme. Olur mu Gülbahar?"

Yusuf şaşkındı, korkmuştu. Gülbaharı da onun korkusu, telaşı şaşkına çevirmişti.

"Senden umut yok," diye onun ellerine sarılarak inledi Gülbahar. "Yalnız bunu kimseye söyleme Yusuf. Anama bile... Gülistanla Gülriz duyarlarsa beni öldürürler. Beni parça parça ederler. Kimseye söyleme, olur mu?"

"Hiç söyler miyim?" dedi Yusuf. "Sonra babam seni parça parça eder. Her parçanı da bir köpeğe verir. Hiç söyler miyim? Sen de kimseye söyleme Gülbahar."

Yusuf bir tuhaf olmuştu. Bir ürküntü içindeydi. Ürkmüş, kanatları arasına yumulmuş küçücük, korkmuş bir kuşa dönmüştü.

Gülbahar Yusuftan hiç böyle bir davranışı beklemiyordu. Yiğit, soğukkanlı, mert görünürdü. Nasıl da aldanmıştı. Yusuf gider, babasına olanı biteni haber verir miydi? Kim bilir. O, öylesine çok korkmuştu ki, korkusu ona her şeyi yaptırırdı. Yusufu odasında bir şaşkınlık, yumulmuş bir korku olarak bıraktı çıktı.

Ağrıdağının doruğuna yakın yerinde, güneybatı yamacında bir göl vardır, adına Küp gölü derler. Bir harman yeri büyüklüğündedir göl. Som mavi bir sudur. Kuyu gibi. Kırmızı, keskin, ışıltılı kayalıkların dibindedir. Her yıl bahar gözünü açar açmaz Ağrıdağının tekmil çobanları gölün kıyısına gelirler, güneş damgalı kepeneklerini bakır toprağın üstüne serip gölün kıyısına sıralanırlar, kavallarını çıkarıp doğan günle birlikte Ağrıdağının öfkesini günbatımına kadar çalarlar. Ağrıdağı çobanları güzel, kara, kederli gözlüdürler. Uzun, çok güzel parmakları vardır. Bazısının gür, altın sakalları dalgalanır. Küçücük bir ak kuş çobanlar gölün kıyısında kaval çaldıkları sürece üstlerinde döner durur. Gün kavuşunca çobanlar karanlığa karışıp giderler. Ve tam bu sırada da tepede dönüp duran ak kuş gölün üstüne süzülüp iner, kanadını suyun som mavisine daldırır, sonra o da çobanlarla birlikte, karanlığa karışır. Kanadın değdiği yerde göl incecikten dalgalanır, ince dalgalar genişleyerek, gelir, bakır kıyılara vururlar. Sonra, iri bir atın gölgesi gölün üstüne düşer, süzülür gider.

Saray, dağın güney ucundaki düzlükte, bir kayanın üstüne kurulmuştu. Alt yanı derin bir uçurumdu ve uçurumun dibinden ova başlıyordu. Ovadan büyük yollar geçerdi. Beyazıt kasabası saraydan doğuya, Ağrıdağının yamacına doğru toprak damlı evleriyle sıvanmıştı.

Ulu bir kayanın dibinde gür, ak saçlı Hüsonun demirci dükkanının ışığı bütün gece yanardı. Ve sabahlara dek, dükkanın kapısından dışarıya, karanlığa top top kıvılcımlar fışkırırdı.

Bazan kıvılcımlar durmadan ulu bir sel gibi bütün gece karanlığa akardı. Mahmut Han keyifli olduğu geceler penceresinden sabaha kadar Hüsonun kapısından geceye akan kıvılcımlara bakardı.

Hüsonun yaşı belli değildi. Demirci dükkanında beş oğluyla birlikte çalışır, çok güzel, altın işleme, keskin, kırılmaz kılıçlar döverdi. Kendini bildi bileli paşa sarayına, bey konağına adımını atmamıştı. Ramazanda oruç tutmaz, hiç namaz kılmaz, hiç dua etmezdi. Bazıları Hüsonun ateşe taptığını söylüyorlardı. Bazı geceler körüğünü çekiyor çekiyor, dükkanın içi, kapısı kıvılcımlar içinde kalıyor, Hüso bu ateşin önünde dize gelip, ellerini ateşe açıyordu.

Hüso yaz kış üstüne hiçbir şey giymiyordu. Bacaklarına yalnız çok kalın bir şal doluyor, beline kırmızı bir kuşak bağlıyordu.

Gülbahar umutsuzluk içinde pencereden baktı. Bütün kasaba uykudaydı. Hüsonun dükkanının kapısından kıvılcımlar akıyordu geceye, top top...

Ve içerde, zindanda Sofi derinden derine kavalıyla Ağrıdağının öfkesini çalıyordu. Uzakta, aşağıda Beyazıt ovasında bir at kişniyordu, delirmişçesine. Telaşlı, korkak.

Gülbahar:

"Sofi," dedi.

"Sofi sana kurban," diye kavalını kesti Sofi.

Gülbahar:

"Az kaldı," dedi. "Boynunuzu vuracaklar. Bir çare yok mu?"

"Yok," dedi Sofi.

"Sen buradan çıksan, alıp atı getirsen, boyunları vurulmasa..."

"Olmaz," dedi Sofi. "At gelmez. Sofi senin güzel dillerine kurban."

Gecede Sofiyle bir süre karşı karşıya kaldılar. Ne Sofi konuştu, ne Gülbahar.

"Ama olmaz," dedi Gülbahar. Sesi ölmüş. "Hiç olmaz. Günah, zulüm. Olmaz ki... Bu saray yıkılsın," dedi, sesi iyice ölerek.

Sofi:

"Bu saray yıkılsın," diye onun ölü sesine kendi yumuşak sesini kattı.

"Bir at için, ne var, dört cana değer mi?"

Sofi:

"Bu saray yıkılacak," dedi. "O bir at değil, bin saray..."

Gülbahar:

"Hiçbir çare yok mu? Sofi, ben gideyim mi dağa? Varıp Ahmedin eline obasına, Ahmet, Sofi atı istiyor diyeyim mi?"

Sofi:

"Olmaz," dedi.

Gülbahar:

"Ben gideyim, babamın ayağına düşeyim mi, attan vazgeçsin diye?"

Sofi:

"Olmaz güzelim," dedi. "Olmaz Sultanım. Bir can için değer mi? Sofi senin dillerine kurban olsun, güzel konuşan, ballar akan... Sofi senin saçlarına kurban olsun, sırma tel... Sofi senin gözlerine kurban olsun, ceren bakışlım... Sofi senin boylarına kurban olsun, suna boy... Sofi senin yüreğine kurban olsun, Leyla sevda... Hem de bir ateş harmanı... Her şeyin bir çaresi var, bu aşkın sonu yok. Sofi senin çaresizliğine kurban olsun. Senin için böylesi daha iyi... Sofi senin umutsuzluğuna kurban olsun."

Gülbahar:

"Biliyorum," diye derinden inledi. "Bu benim için daha iyi. Biliyorum, er geç ikinizin de babam boynunu vurduracak. Ama az kaldı Sofi. Yakında boyunlarınız vurulacak. Ben de varıp sizin mezarlarınız üstünde kendimi öldüreceğim. Ayağına düştüm Sofi, bize yardım et."

Sofi, bir daha konuşmadı. Gülbahar konuştu, ne dediğini, ne söylediğini bilmeden. Sofi taş kesildi, Sofiden bir daha ses çıkmadı.

Gülbahar oradan ayrılırken Sofi kavalına yumulmuştu. Sofi sabaha kadar kaval çaldı.

Gülbahar pencereden geceye baktı. Hüsonun dükkanına bir daha baktı. Uzakta, yücelerde Ağrıdağı derinden gümbürdüyor, arada sırada da koca dağ soluklanıyor, ürperiyordu.

Demirci Hüsonun demir dövdüğüdür

Hüsonun kapısından bir top daha kıvılcım dışarıya, geceye aktı. Dağın soluğuna, çekiç sesleri tek tek karıştı.

Gülbahar yerinde duramıyordu. Bütün bedeni, kafası, duygularıyla bir çare arıyordu. Uçan kuştan, akan yılandan car umuyordu. Doluya koyuyor almıyor, boşa koyuyor dolmuyordu. Gözü hiçbir şey görmeden sarayın içinde dört dönüyordu. Birden tıp diye aklına geldi.

"Bu Hüso ateşe tapandır. Bir büyücüdür. Bir de iyi insandır. Belki bu derde bir çare bulur," dedi.

Hemen dışarıya çıktı, doğru demirci dükkanına yollandı. Bir top kıvılcımın arasından içeriye daldı. Dükkanın içi sıcaktı ve Hüsonun bedeninin yukarısı her zamanki gibi çıplaktı. Gülbaharı görünce hiç şaşırmadı. Bir eli körüğündeydi. Körüğünü çekerek şöyle döndü bir baktı. Sanki Gülbaharı çoktandır bekliyordu. Yüzünde öyle bir hava belirdi. Körüğünü durdurmadı. Bir süre ateşteki demire baktı. Kor gibi demiri ocaktan çekti, örsün üstüne koydu, balyozu indirdi, demirden bütün dükkanı dolduracak kadar kıvılcım fışkırdı.

Hüso neden sonradır ki gülümsedi:

"Hoş geldin Gülbahar Hanım," dedi.

Gülbahar sevindi.

Sesi çok sağlam, dost, yaratıcıydı.

Gülbahar, önce at hikayesini olduğu gibi anlattı.

Hüso:

"Biliyorum," dedi.

Sonra aklına geleni, Ahmedi, Sofiyi, Musa Beyi anlattı.

Hüso:

"Biliyorum," dedi.

Sonra Gülbahar, Ahmede karşı sevdasını anlattı. Hüso ne biliyorum dedi, ne de bilmiyorum... Düşüncelere daldı gitti.

"Gelecek hafta cumartesi günü kalede onların başını vurduracak babam," dedi Gülbahar. "Çaresi yok mu hiç?"

Hüso karşılık vermedi. Hep öyle düşündü kaldı. Ocaktaki közler yavaş yavaş karardı, demir soğudu, buz gibi oldu Hüso yerinden kıpırdamadı.

Horozlar öterken başını kaldırdı:

"Yarın gece gel hele bana... Belki bir yolunu buluruz. Belki bir çaresini!"

Gülbaharın içine bir ışık koydu.

Gün Ağrının yamacına yapışmış, öyle duruyordu. Kırmızı, soğuk... İnceden, dağdan aşağı bir yel esiyordu, soğuk, kırılır gibi... Çıtır çıtır eden bir yel.

Gülbahara akşam hiç olmayacak gibi geliyordu. Sarayın demirci dükkanına bakan penceresine oturmuş, gözlerini kırpmadan oraya bakıyor, bir büyünün gerçekleşmesini bekliyordu.

Dükkanın kapısından bir top ak kuş fırlıyor, bir top daha, bir, bir daha. Sarayın göğü apak kesiliyordu. Birden sarayın bütün kapıları açılıyor, Ahmetle Gülbahar kendilerini Ağrıdağında Küp gölünün yanında, ulu kartalların arasında el ele buluyorlardı. Göz göze gelip gülüşüyorlar, gelip gülüşüyorlardı. Gün akşam oluncaya kadar, demirci dükkanında daha ne büyüler gerçekleşmedi. Gülbahar kendisini Ağrının öfkesindeki kızın yerine kaç kere koyup mutlu olmadı.

Ve gün battığı zaman artık Gülbaharın hali kalmamış, elden ayaktan kesilmişti. Yerinden kıpırdayamayacak bir durumdaydı. Gece yarısı horozları öttüğü zaman bir külçe haline gelmişti. Duvarlara tutunarak, yüreği bir kuş yüreği gibi çırpınarak Hüsoya gitti.

Hüso kızın yarı ölü hale geldiğini anladı, "eyvah," dedi kendi kendine, "bu kadar olduğunu bilmiyordum. Bir günde ölüvermiş kız."

Hüso da düşünmüş taşınmış, bir yolunu bulamamıştı. Ama Gülbahar onun yüzüne öylesine bir bakıyordu ki... Bir çare bulamadım demenin mümkünü yoktu.

Hüso:

"Kızım," dedi, "onların başı vurulmadan ben atı getirmenin bir yolunu bulacağım. Yalnız sen, şu aşağıdaki köyde, kervan yolunun üstünde, bir Kervan Şeyhi var, sen ona da bir git hele."

Gülbahar:

"Ben Kervan Şeyhini biliyorum," dedi. "Ama o kimseyi kabul etmez ki..."

Kervan Şeyhi çok yaşlıydı. Uzun, ak sakalı gün vurmuş kar gibi parlardı her zaman. Gece gündüz büyük, kalın, çok tüylü bir ayı postunun üstünde otururdu. Küçülmüş, bir topak kalmıştı.

Evinin önünde ulu bir meşe ağacı vardı. Meşe ağacı da Kervan Şeyhi kadar kutsaldı. Belki de ondan daha çok. Ağacın, Kervan Şeyhinin birçok kerametlerini anlata anlata bitiremiyorlardı.

Az ilerden büyük kervan yolu geçerdi. Arabistandan, Trabzondan, bütün Anadoludan gelen yollar burada birleşir İrana, Turana, Hindistana, Çine Maçine buradan giderdi. Bu yoldan geçen kervancı kim olursa olsun, hangi milletten olursa olsun, azdan az, çoktan çok bu meşenin dibine paralar bırakırdı. Kervancıların bıraktığı paraya hiç kimse el sürmezdi. Paralar meşenin kökünde öyle yığılır kalırdı. Şeyh bayramdan bayrama bu paraları fıkaralara paylaştırırdı. Hiçbir kervancı, Şeyhin meşesinin dibine para bırakmadan geçemezdi. Para bırakmadan geçenler üstüne, onların felaketli sonuçları üstüne korkunç hikayeler anlatıyorlardı.

Her gece de meşenin üstünde kervankıran yıldızı gün doğuncaya kadar yalbırdayarak salınır dururdu. Yolunu yitirmiş kervanlara yol gösterir, başı sıkışmış kervancıların imdatlarına koşardı.

Hüso:

"Sen ona benim gönderdiğimi söyle, olur mu?"

Gülbahar oraya gitti, meşe ağacına, Şeyhin kapısının eşiğine yüzünü sürdü, Hüsonun selamını Şeyhe gönderdi, Şeyh onu kabul etti.

Şeyhin mavi gözleri yıldız gibiydi. Pirüpak, aydınlık, hiç bulanmamış bir kaynağa benziyordu Şeyh. Gülbahar onun önünde niyaza gelip omuzundan üç kere öptü.

"Ben bir kervancıbaşıyım Şeyhim," dedi. "Bir kervancıbaşıyım ki dağlarda kaldım, sana geldim. Yolumu şaşırdım. Bir kervancıbaşıyım ki Ağrının tepesinde fırtınaya tutuldum, sen imdat eylemezsen hepimiz kırılacağız. Bir yarı canlı kuşum ki geldim evinin önündeki meşeye kondum. Alıcı kuşlar yöremde dolanıp dururlar. Gagalarını bilemiş, çırnaklarını çıkarmışlar," dedi. "Yüreğimi oyarlar."

Kızın bu hali Şeyhe çok dokundu. Gülbaharın güzelliğine de hayran kaldı.

"Derdini anlat kızım."

Gülbahar baştan sona hikayeyi ona da anlattı. Şeyh elini sakalı arasına sokup derin düşüncelere daldı. Sonra da gözünü evinin üstünde salınıp duran, mavi bir yığın ateş gibi parlayıp sönen kervankıran yıldızına dikti. Çok düşündü. O kadar ki, önünde diz çöküp kalmış Gülbaharın bütün bedeni uyuştu. "Var git kızım," dedi en sonunda. "Ahmedin boynu vurulmadan bir şeyler olacak. Sofinin, Musa Beyin boyunları vurulmadan... Yıldızın bir yanı karardı, bir yanı ışık içinde. Var git kızım muradına ermeni dilerim. Git böyle söyle demirciye. Atın bir çaresine bakılacak. Var söyle ona buraya gelsin."

Gülbahar oradan ayrıldı, başı dönüyordu, içindeki umut ışığı azıcık yalazlamıştı. Saraya gitti, beklemeye başladı. Ama içi içine sığmıyordu. Şeyhe, demirciye, meşe ağacına, kervankıran yıldızına güveniyordu, güveniyordu ya, babasının da öfkesi gün geçtikçe boyunları vurulacakların günü yaklaştıkça artıyordu. Hiç kimse yanına yaklaşamıyordu. Hiç kimseye bir tek sözcük söylemiyordu. Yalnız, tek başına bir homurtu, bir öfke olarak sarayda kendi kendine kuduruyordu. Sararmış solmuş, avurdu avurduna geçmiş, kamburu çıkmıştı. Onu yiyip bitiren, onu bu hale getiren, onuruna dokunan bir şeyler vardı bu işte ama, ne olduğunu kendi de bilmiyordu.

Gülbahar artık zindana gitmeye korkuyordu. Memo ona bir düşküne, bir hastaya, bir çaresize davranır gibi sonsuz, sınırsız bir hoşgörürlükle davranıyor, onun bütün onurunu bu haliyle ayakları altına alıyordu. Memonun her halinde bir ermişin, bu dünyadan, canından vazgeçmiş bir ermişin tavrı vardı. Gözlerinde de, şimdiye kadar hiç kimsenin belki de hiçbir insanda görmediği, kederli, umutsuz, derin, sevdalı bir bakış vardı. Bakışı taşı, demiri deler, insanın ta ciğerine işler derler ya, öyleydi. Dünyanın bütün kederi, sevgisi gelmiş bu ermiş yüzlü adamın gözlerine birikmişti. Gülbahar, o geceden beri Memo üstünde de çok düşünmüştü. Her dediğini, kellesini koltuğuna alarak büyülenmiş gibi yerine getiriyordu. Hem de sonsuz, ulaşılmaz bir mutluluk sevinciyle. Gülbahara öyle geliyordu ki ca-

Kervan Şeyhinin evinin üstündeki mavi yıldıza baktıktan sonra düşündüğüdür

nını ver Memo, benim için canını ver dese, Memo sevinçten aklını yitirecekti. Memo sevdalı mıydı? Memo yangın mıydı? Öyle olsa Ahmetle onu buluşturur muydu, hem de en büyük bir mutlulukla? Derisinden, gözlerinden dünyanın en büyük sevinci fışkıraraktan. En büyük kederi...

"Memo, Memo, akrabamız Memo, senin bu insanlığını bu dostluğunu ölene kadar unutmayacağım. Bu can bu tenden çıkana kadar seni unutmayacağım."

Ve Gülbahar, Memoya gözükmeden zindanın kapısında dönüp duruyordu.

Geceydi, demircinin kapısında kıvılcımlar top top geceye fışkırıyordu. Yıldızlar Ağrıdağının apaydınlık olmuş ayaz gecesinde, gökyüzüne irili ufaklı serpilmişlerdi. Hiçbir ses yoktu. En ufak bir yel bile esmiyordu.

Gülbahar uykusuz, sabahı pencerenin önünde etti. Gün ışırken, yüreği sevincinden ağzına geldi. Demirci dükkanının önünde eğerlenmiş bir at duruyordu. Az sonra demirci dükkandan çıkıp ata atladı ve dağa doğru doludizgin sürdü. Gülbahar onun nereye gittiğini biliyordu. Ve mutlaka atı da getirecekti.

Hüsonun, Kervan Şeyhinin mührüyle, atı getirmek için dağlılara gittiği bütün bölgede duyuldu. Tekmil Ağrıdağı sevinç içinde kaldı. Kervan Şeyhinin mührünü Hüso gibi adam dağlılara götürsün de, eli boş dönsün, böyle bir şey olamazdı. Kervan Şeyhinin mührüne karşı koyacak, ona yüz sürmeyecek, buralarda bir tek insan bulunamazdı. Haberi duyan Kürt Beyleri, Musa Beyin babası, arkalarında sırtlarına keçi postu geçirmiş, başlarına keçe külah giyinmiş atlılarıyla Beyazıt kasabasına doldular. Hepsi sevinç içindeydi. Yalnız hiç kimse bu işin sebebini anlayamıyordu. Koskocaman Kervan Şeyhi bu işe nasıl karışmıştı? Nereden duymuştu bir at yüzünden üç kişinin boynunun vurulacağını? Kervan Şeyhinin bu dünyayla, bu dünyanın işleriyle hiçbir ilişkisi yoktu ki...

Onların başlarının vurulmasına üç gün kalmıştı. Ya o güne kadar demirci Hüso dağlardan dönemezse? Sevinçlerini kursaklarında koyan, yüreklerini karartan buydu işte.

Haberi Mahmut Han da duydu. Öfkesinden deliye döndü. Kervan Şeyhinin ardından ağzına geleni söyledi. Cumartesine

Demirci Hüsonun atı Ağrıdağından alıp getirdiği,
Paşa sarayının kapısına bağladığıdır.

şurada ne kalmıştı. Sonra dağlılar atı gene vermeyeceklerdi. O yabanıl kurtlar Kervan Şeyhinin kendisi gitse atı gene vermezlerdi. Verseler bile... Verseler bile...

Mahmut Han renk renk mermer direkli sarayının büyük salonunda dört dönerken bağırıyordu:

"Verseler bile, verseler bile... Atı getirip kapıma bağlasalar bile cumartesi günü onların boynunu kalenin burcunda vurduracağım. Leşlerini de köpeklere atacağım... Onlar Osmanlıya bir at için başkaldırmış kişilerdir. Ala şafakta kanları akacak onların. O mendebur, o asi, o bin yaşındaki Sofinin bile..."

Derken, perşembe akşamı Hüso atı aldı getirdi. Sarayın büyük kapısına bağladı. Kasabada bir bayram havası esti. Herkes en güzel giyitlerini giyindi. Kadınlar al vala bağladılar.

Gülbahar sevincinden deli divane oldu. Memonun halini bile aklına getirmeden hemen Ahmede koştu. Memodaki değişikliğin, çöküntünün hiç farkına varmadı. Kara, güzel gözleri onulmaz bir kederle çukura gömülmüştü. Bir yalnızlığa batmıştı. Ipıssız dünyada tek başına yüzer gibiydi. Belinden zorla, halsizce çıkardığı açkıyı Gülbahara verirken, sanki elleri yoktu. Açkı kendi kendine gitti, kızın ellerine düştü.

Memo ayakları biribirine dolana dolana sarayın kapısına yürüdü. Sarayın kapısında atı görüncedir ki azıcık kendine geldi. At orada öyle bağlı duruyor, başını havaya dikmiş geceyi kokluyordu. Geldi geleli hiç kimse ona dokunmamıştı. Takımları gecede donuk donuk parlıyordu. Ata korkunç bir düşmanlıkla baktı. Kendisini tutmasa bir kılıçta atın başını gövdesinden ayıracaktı. Bu düşünceyi bir türlü kafasından atamıyor, eli kılıcının kabzasında atın yöresinde, öfke içinde, dayanılmaz bir öldürme tutkusunda dolanıp, duruyordu. Bütün bedeni terden suya batıp çıkmış gibi ıpıslak olmuştu.

Ve zindanın üstünde, uçurumun tam üstündeki eski, boş nöbetçi odasında Gülbaharla Ahmet kucaklaşmışlar, bir altın sevgi bulutuyla onları örtmüştü. Bir ulu sevgi seline kapılmışlar, kendilerinden geçmişlerdi. Ölürken, son sevgiyi, bütün bir ömürlük sevgiyi bir ana, bir geceye sığdırmışlardı. Kanları biribirlerinin damarlarında akıyordu. Korkunç bir ateş, çıplak bedenlerini birleştirmişti, ölümün eşiğinde olmasalar böylesine bir olamazlar, bir sevda yangınında böylesine birleşemezlerdi.

*Ahmetle Gülbahar sarılmış, yatarlarken Memonun gelip
kılıcını bir damla su gibi üstlerine tuttuğudur*

Memo şafağa karşı onları uçurumun kıyısındaki eski nöbetçi yerinde buldu. Ahmedin büyük, geyik derisi abasına sarınmışlar, bir kişi olmuşlardı. Öylesine can cana. Üstlerine yarı karanlık şafak ışıkları dökülüyordu. Memo yalınkılıçtı ve hırsından dudaklarını yemiş, bıyıklarını yolmuş, yüzü kan içinde kalmıştı.

Gülbaharın yüzü şafak ışığında bir çocuk mutluluğundaydı. Memo bu yüzü, karşıda durup hayranlıkla seyretti. Öfkesi gittikçe yatıştı, uzun kılıcını gerisin geri kınına soktu, oradan ayrıldı. Gene atın yanına vardı. Gene öfkesi şahlandı. Atın dört yanını bir uğuntuda dolaştı, dolaştı, ter içinde kaldı, yeniden kılıcını çekti. Kılıcı elinde bir deli uğuntuda sarayın dibindeki uçuruma koşarak indi, geri çıktı. Bütün kapıları açıp, bütün saraydakileri kılıçtan geçirmek... Bütün canlıları... Ayakları onu zindana çekti götürdü. Elinde kılıç eski nöbetçi kulübesinin kapısında gene durdu. Gülbaharın yüzü şimdi daha aydınlıktı. Usuldan dudakları aralanmış apak, çocuk dişleri gibi dişleri gözüküyordu. Yanaklarındaki gamzeler daha da güzelleşmişti ve saçları Ahmedin yüzünü örtmüştü. Ve Memo bu yüze hayran baktı kaldı. Böyle durur, Gülbaharın yüzüne bir ömür, bin yıl bıkmadan usanmadan bakardı. Ama sabah oluyordu. Şimdi uyanacaklardı. Bütün gece düşündüklerinden şimdi, Gülbahara hayran bakarken utanmıştı. Baktıkça bakıyor, onu bir daha göremeyecekmiş gibi, bütün suretini bir daha çıkmamacasına gözbebeklerine nakşediyordu.

Memo yumuşamış, utanmış gene onlardan ayrıldı, gene ata gitti, gene uğundu. Sonra birkaç kere gene kulübeye geldi, Gülbaharın gittikçe aydınlanan, güzelleşen uykuda yüzüne hayran kaldı.

Gülbahar en sonunda uyandı, ala şafakta üstlerine gelen yalınkılıç adamı gördü, bunun Memo olduğunu, ne yapmak istediğini anladı, Ahmede biraz daha sokuldu. Bu işin böyle bitmesi daha iyiydi. Ahmet de yalınkılıç adamı görmüş, hiçbir devinmede bulunmamış, o da Gülbahara sokulmuştu. O da böylesi daha iyi, dedi. Bunun sonu yoktu zaten.

Soluk bile almıyorlar, şafağın içinde aydınlık bir su damlası gibi duran, üstlerine inecek kılıcı bekliyorlardı. Memo üç kere var gücüyle kılıcını sevgililerin üstüne kaldırdı, geri çekti. Bir türlü eli varıp da kılıcı onların üstüne indiremedi. Onların kendisini gördüğünü ve biraz daha biribirlerine sarılıp kenetlendiklerini, böylece ölümü beklediklerini görüyordu.

Gene sarayın kapısına, ata gitti, gene kılıcını çekti. Nöbetçiler nöbet değişiyorlardı. Memo delicene bir hızla yalınkılıç, gözleri dönmüş, bir attan zindana, bir zindandan ata uğunarak gidip geliyor, iri kılıcından şimşek pırıltıları savruluyordu.

Sonunda kılıcı zindanın mavi çinke taşına vurdu, kılıçtan çıkan çınlamayı bütün saray, bütün Beyazıt duydu. Kılıç tuz buz olup her parçası bir yana saçıldı.

Eski nöbetçi kulübesine geldi. Biraz daha hayran baktı onlara. Şimdi iyice yumuşamış, eski ermiş haline ulaşmıştı.

Bitkin bir sesle:

"Sabah oldu, daha ne uyuyorsunuz?" diye onları uyardı. Onlar biribirlerine sokulmuşlar, daha gelecek felaketi bekliyorlardı.

"Sabah oldu, haydin kalkın, birisi görecek... Çabuk olun," dedi, çıktı gitti.

Sevgililer de altın sevgi bulutunun altından çıktılar. Gülbahar sarayın kapısına koştu. At orada, öylecene rahat duruyordu. Günün ilk ışıklarıyla takımlarının gümüşü, sırması, altını bir parıltı cümbüşünde yanıyordu.

Gülbahar doğan güne olanca mutluluğuyla uzun uzun gerindi.

Bu at geldi, artık Ahmet gidecekti. Bir daha hiç hiç Ahmedi göremeyecek, bütün bir ömrün mutluluğu bu kadar az süren bir sevgide kalacaktı. Bütün bir ömür dönüp dönüp bu gecenin tadını yaşayacaktı.

Gülbahar:

"Çok şükür şu doğan güne, çok şükür şu parlayan dağa, çok şükür Yaradana," dedi. 'Bu da yeter. Çok şükür...'

Gün doğmuş, bir minare boyu kalkmıştı. Kürt beyleri sevinçli, ağır, dik, bellerinde uzun, kaba kılıçları saraya birer ikişer geliyorlardı. Her gelen sarayın kapısındaki atın çevresinde şöyle bir dolanıyor, atı inceden inceye gözden geçiriyor, çok saygılı, attan ayrılıp saraya giriyordu.

Sarayın büyük, çok direkli divanından bağırtılar geliyordu. Mahmut Han sapsarı kesilmişti, öfkeden titriyor: "O at benim değildir," diyordu. "Şeyhin önünde boynumuz kıldan incedir ama, o at benim değildir. Cumartesi ala şafakta onların boynu vurulacaktır."

Zilan aşireti Beyi Mustafa Bey:

"Ben tanıyorum Paşa, o at senin attır," diyecek oldu, bu söz bile Paşayı çileden çıkarmaya yetti.

"Bey, Bey sana, sana diyorum. Yoksa sen de onların arasında mısın? Yoksa sen de mi?"

Öteki beyler:

"Paşa," dediler, "O başka bir şey söylemek istiyordu. Sen yanlış anladın."

"Ben mi, ben mi yanlış anladım? Ne demek istiyorsunuz? Ben mi yanlış anladım?"

"Estağfurullah Paşa," dediler. "Biz yanlış anlattık. Sen hiç yanlış anlar mısın?"

Sonra beyler susup, bir daha da ağızlarını açmadılar. Sevinçleri kursaklarında kaldı.

"Evet beyler, cumartesi sabahı ala şafakta atımı çalıp da getirmeyen hırsızların başları kalenin burcunda bütün Osmanlı tebalarının gözleri önünde vurulacaktır. Şimdi münadileri çarşıya çıkarıyorum. İlan etsinler."

Kürt beyleri el pençe divan, yüreklerinde sonsuz bir başkaldırma istemi, saraydan, yıkılmış, dışarıya çıktılar. Gene atın çevresini dolanıp uzun uzun atı gözden geçirdiler:

"Bu onun atı," dediler. "Vallah billah, bu onun atı. Bu damga onun damgası."

"Ne sebepten Paşa bu üç adama kızmış? Ne sebepten başlarını vurduracak?"

Sonra da:

"Vurdursun," dediler. "Kısas kıyamete kalmaz."

"Kalmaz," diye gürlediler hep birden.

Sonra işi bütün kasaba duydu. Sonra münadiler çarşıya çıkıp, başı vurulacak kişileri adlarıyla suçlarıyla ilan ettiler.

Demirci Hüso öfkeden çıldırdı, elinde çekici, bir öfke gibi sarayın kapısına geldi, bağırdı çağırdı.

"Bu zulümdür Paşa, bu zulümdür. Bu zulüm sürüp gitmeyecek. Sürüp gitmeyecek. At senindir Paşa. Sen bu ata layık değilsin ama, at senindir. Ben yalan söylemem, atı ben getirdim Paşa, at senindir," dedi.

Sonra vardı, atı sarayın kapısında bağlı olduğu halkadan çözdü, bıraktı:

"Sen bu ata layık değilsin Paşa. Sen insanlığa layık değilsin Paşa... Sen, sen, sen layık değilsin..."

At, başıboş Beyazıdın ortasına düştü ev ev, dükkan dükkan bütün Beyazıdı dolaştı. Sonra meydana geldi, başını yukarı dikip havayı, burun deliklerini açarak uzun kokladı, sonra da bütün gücüyle yeri göğü inleten bir kişnemeyle kişnedi. Ağrıdağı yankılandı. At kuyruğunu dikip bir iki kere uçacakmış gibi şahlandı. Sonra da dağa, doludizgin aldı yatırdı, bir yıldız gibi dağın yamacına süzüldü.

Atın kişnemesini duyanlar:

"Bu Paşanın sonu yok," dediler.

Cellatlar büyük, ağır palalarını biliyorlar, yarın sabaha hazırlıklarını yapıyorlardı.

Gülbahar deli divane olmuş, yerinde duramıyordu. Sarayın içinde bir ölü gibi dolaşarak akşamı etti. Akşam olur olmaz, gece çöker çökmez doğru demirci dükkanına aktı. Hüso:

"Ne yapalım kızım," diye onu karşıladı. "Elimizden hiçbir şey gelmedi. Bundan sonra da hiç gelmez. Şeyh de bir şey yapamaz. Ben de yapamadım. Kader böyle imiş, ne yapalım," dedi.

Gülbahar sessiz, siyim siyim ağlıyor, içinden: "Ağı vereceğim ona... Ağrıdağının boz yılanının ağısını... Göz açıp kapayıncaya kadar günden gölgeye götürmeyecek bir ağı vereceğim ona. Yaşatmayacağım onu," diye geçiriyordu.

Saraya döndü. Yusufu aradı buldu. Yusuf bir şey yapamaz mıydı? Yusuf onunla konuşmadı bile. Bir de öyle sert, öyle düşmanca baktı ki Gülbahar dondu kaldı. Sarayın kahyasına koştu. Babası, İsmail Kahyayı çok sever, dediğinden çıkmazdı. İsmail Ağayı da ateş köpürür gördü. Anasına yakarmaya karar verdi.

67

Anasının da yanına yaklaşamadı. Sarayda her şey, herkes, duvarlar, mermer direkler, yerdeki Kürt halıları, ak, kocaman, çok sevdiği bir gözü mavi, bir gözü altın sarısı Van kedileri bile ona düşmandı. Düşmanca bakıyorlardı. Kucağında, yatağında büyüttüğü, altın, mavi gözleri ışık içinde yanan kedisini kucağına aldı, ağlayarak konuştu:

"Kedim," diyordu, "ak kedim, altın gözlüm. Sana söylüyorum, derdimi sen anla... Bir bulup da bir yitirdiğim Ahmedi öldürecekler. Yüce dağın kartalı, gönlümün sevdasıydı."

Böyle çok, uzun konuştu. Kedi kucağında bir top mırıltı olmuştu. Gittikçe karanlığa gömülüyor, bir umutsuzluk duvarına başını dayamış, debeleniyor, çırpınıyordu.

"Yarın sabah başını vuracaklar Ahmedin, kedim. Öldürecekler onu, duyuyor musun? Yüreğim yanıyor. Ben de kendimi öldüreceğim, kedim."

Kedisi kucağında, uyurgezer halde zindanın kapısına gitti. Kedi sıcaktı ve mırıltısını gittikçe çoğaltıyordu.

Zindanın kapısı soğuktu. Zindancı Memo kocaman kılıcına dayanmış, geyik derisinden, dizine kadar gelen abasına sarınmıştı. Uzun, güzel yüzü, kara gözleri, kıvırcık abanoz sakalı kedere batmıştı.

"Ben de yarın şafakta onun boynu vurulurken, kendimi uçurumdan aşağı onun ölüsü üstüne atacağım."

Kendinden geçmişti. Bu sözlerini Memonun duyduğunu anlayamadı.

"Memo, Memo, bana çok iyilik ettin. Bir daha görüştür beni onunla..."

Sonra kesik, boğulur gibi, ne dediğinden habersiz konuştu.

"Memo, bırak onu. Koyver gitsin. Memo benim hiç hatırım yok mu yanında?"

Kediyi yere atıp Memonun ellerine sarıldı. Memo büyülenmiş gibi oldu.

"Memo kocaman kılıcın var elinde. Yalım gibi kara gözlerin, kalem gibi parmakların, güçlü kolun, uzun boyun var Memo, akrabam Memo... Bunlar zindan beklemekten başka, Paşa memnun etmekten başka neye yaradı, Memo? İnsan kellesi kesmekten başka? Memo, Memo, Memo! Bırak Ahmedi, sana ne istersen veririm."

68

Memoyla Gülbaharın baş başa konuştuklarıdır

Memo derinden öyle bir inledi ki Gülbahar sarsıldı, uyur-gezerliğinden silkinip kendine geldi.

"Ne istersem verir misin?"

"Ne istersen veririm Memo. Yiğidim Memo. Akrabam Memo..."

Memo bir daha sordu:

"Ne istersem verir misin?"

"Canımı iste, canımı veririm Memo," dedi Gülbahar, sesinde yenemediği korkusu, merakıyla.

Tekrarladı:

"Ne istersen veririm Memo. Ne istersen... Yeter ki Ahmet kurtulsun."

Memo sustu konuşmadı. Daldı, dondu kaldı. Yüzü ölü kandilin ışığında, mutlulukta parıldadı. Sonra Memo gülümsedi. Elini uzattı, Gülbaharın saçını okşadı, dokunmaya kıyamayarak. Gülbahar ne isteyecek diye merak ediyor, gerilmiş, bütün bedeni, düşüncesiyle Memonun isteğini bekliyordu.

Memo sesi değişmiş, gülen, mutlu, mutlu, mutluluktan taşarak, yeryüzünde bütün isteklerine kavuşmuş bir insanın durgunluğu, sevinci, rahatlığıyla:

"Ne istersem verir misin?" dedi.

"Veririm," dedi Gülbahar, tok, inanmış, güvenli bir sesle. "Veririm."

"Saçından birkaç tel isterim," dedi Memo.

Gülbahar hiç düşünmeden hemen, bir beliğini tutup uzattı:

"Çek kılıcını kes Memo," dedi. "Gülbahar sana kurban."

Memo kılıcını çekti, beliğin ucundan bir parçayı kesti, aldı, yüreğinin üstüne koydu.

"Bir de başka bir şey isterim," dedi.

Gülbahar hemen:

"Söyle, Gülbahar sana kurban olsun."

"Gülbaharın bunu, bu geceyi, beni ölünceye kadar unutmamasını isterim."

Gülbahar onun ellerine sarıldı. Memo ondan kurtulup zindana yöneldi.

"Ahmet, Musa Bey, Sofi uyanın."

Uyumamışlardı. Ayağa kalktılar. Memo onların zincirlerini açtı.

"Şu aşağıdaki kapıdan çıkacaksınız. Gün ışıyıncaya kadar vaktiniz var. O zamana kadar kaçıp kurtulun."

Ahmet kapıda Gülbaharı gördü. Onu kucakladı.

Gülbahar:

"Acele, acele, acele edin. Günün ışımasına az kaldı. Asesler yakalarlar sizi."

Ahmet onu bıraktı, zindanın aşağısındaki kapıdan dışarı çıktılar.

Ve onlar gider gitmez Memo ortadan yitiverdi. Gülbahar onu aradı aradı bulamadı.

Sabah oldu, gün ışıkları Ağrının yamacından Beyazıt şehri, Beyazıt Sarayı üstüne uzandı, soluk, kederli, yenmiş utkulu.

Cellatlar zindana vardılar, Memoya:

"Aç kapıyı Memo," dediler. "Başları vurulacak olanları hazırla."

Memo hiçbir şey olmamış gibi, durgun, güleç:

"Bu gece onları ben bıraktım," dedi.

Cellatlar inanmadılar, zindana girdiler ki ne görsünler, zindanda başları vurulacaklardan hiçbirisi yok. Hemen Paşaya koştular, olanı biteni anlattılar. Paşa kılıcına el vurdu, doğru zindana koştu. Yanındaki İsmail Ağa, adamları, binbaşıları da kılıçlarına el vurdular, Paşa önde onlar arkada zindanın yolunu tuttular. Memo tek başına onları yalınkılıç karşıladı:

"Onları bu gece ben bıraktım Paşa," dedi Memo gülerek. "İyi yapmadım mı? Hoşuna gider sanıyordum."

Paşa:

"Köpek," diye gürledi. "Ekmeğim gözüne dizine dursun."

Ve Memonun üstüne saldırdı. Arkasında duran adamları da Memoya saldırdılar. Sert, yaman bir dövüş oldu. Hiçbirisi Memoya yaklaşamadı bile. Memonun dört bir yanı gittikçe kalabalıklaşıyor, kılıç sallayanlar kalabalığı durmadan büyüyordu. Memo dövüşe dövüşe kalenin burcuna kadar, bu sabah, bu saatta adamların başları vurulacağı yere kadar geldi.

"Paşa, Paşa," dedi, "burada sizinle üç gün, üç gece dövüşürdüm ama, ne fayda... Ben yeryüzünden alacağımı aldım.

71

Dünyaya doymuş gidiyorum. Birkaç insan öldürmüşüm ne çıkar. Senin birkaç kulunu öldürmüşüm, değil mi? Hepiniz sağlıcakla kalın. Kalanlara, dostlara, bizi sevenlere, sevmeyenlere selam olsun."

Kendisini kalenin burcundan aşağı fırlattı. Uçurum çok derindi. Yukardan bakınca Memonun ölüsü aşağıda kanadının birisini açmış bir kuş ölüsüne benziyordu.

Memonun ölüsü başına önce demirci Hüso geldi, sonra oğulları, sonra kadınlar, kızlar... Beyazıt kasabasına bir figan düştü.

Hüso ağır ağır Memoya yaklaştı, onu alnından öptü. Sol eli yumulmuştu ve yüreğinin üstündeydi. Hüso eli aldı, güçlü elleriyle zorla açtı. Memonun avucundaki bir tutam saç kapkara bir yalım, bir ışık gibi balkıdı, incecikten yeşillenmiş toprağın üstüne aktı.

Yusuf bütün olayları korkuyla, yüreği daralarak izliyordu. Yeşil çimene karışan kanı gördü. At şaha kalkmıştı. Herkes biliyordu ki at, babasının atıydı. Babası neden kabul etmedi atı? Acaba babasının her şeyden haberi var mıydı? Gülbaharın çevirdiklerinden? Onun için mi? O her şeyi biliyordu. Bilmez olur mu o? Kalın duvarların arkasını görür, uzak yerlerde konuşulan tüm sözleri duyar o... Öyle değil mi? Gülbaharın bütün yaptıklarını da biliyor. Memo neden kendini öldürdü? Korkusundan. Memo kaçamaz mıydı? Nereye kaçacaktı? Kaçıp dağa, kaçıp Hoşap kalesine sığınamaz mıydı? Nereye kaçarsa kaçsın Paşa onu yakalatır, derisini yüzdürürdü. Bir keresinde çocuktu Yusuf, kasabanın alanında bir eşeğe ters bindirilmiş, çırılçıplak, yalnız avret mahalli kapalı bir adam. Eşeğin başını gözleri bıçılganlı, kirpikleri dökülmüş biri çekiyor. Kirpikleri dökülüp yerinde kıpkırmızı bir et parçası kalmış, çapakları yanağına bulaşmış. Eşeğin her iki yanında, çok iri iki adam. Adamın birisinin elinde koca bir satır, kanlı. Ötekinin elinde parlayan küçük bir hançer... Şimdiki gibi gözlerinin önünde. Hançerli adam uzandı eşeğe ters binili, yumulmuş, kolları kıl örmelerle bağlanmış adamın sol kulağını tuttu, sonra kulağı kökünden kesti.

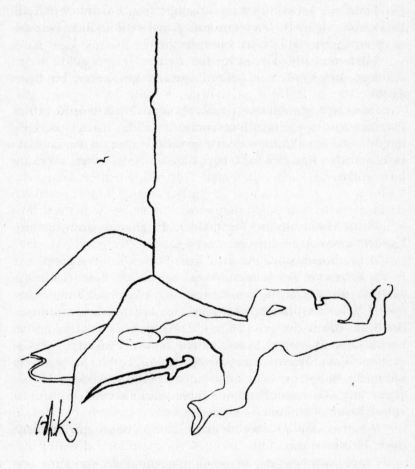

Memonun ölüsünün bir kartal ölüsü gibi uçurumun dibinde yattığıdır

Arkasından da bir kulağa, bir kalabalığa bakıp güldü. Adam korkunç bir acıyla bağırdı, kıvrandı, kıl ip kollarına oturdu. Kulağın yerinden kanlar fışkırıyordu. Cellat kulağı uzağa fırlattı, kalabalığın üstünden. Kulak vardı, bir dükkanın içine düştü. Dükkancı iri, geniş, top kara sakallı, kartal burunlu birisiydi. Dükkanının içine düşen kanlı kulağa öyle baktı kaldı. Gözlerini, büyülenmiş gibi, daha kanayan kulağa dikmiş, kıpırdamıyor, gözlerini de hiç kırpmıyordu.

Eşek kan içinde kaldı. Büyük palalı adam keskin palasıyla çıplak adamın derisini soyuyordu. Koyun derisi yüzer gibi. Adamın sesi bağırmaktan çıkmaz olmuştu. Hırıldıyordu yalnız. Çok kalabalık toplanmıştı. İnsanların yüzü hiç de öyle korkulu değildi. Adamı ikindiye doğru getirdiler sarayın kapısındaki taşlığa attılar. Kan akıyordu hep. Bütün kasaba, evleri, dükkanları, yollarıyla kana bulanmıştı. Topraktan kan fışkırıyordu. Yusuf o gece sabaha kadar kustu. Kasabanın bütün çocukları da kusuyordu. Kan köpükleniyordu. Anası başucuna oturmuş ağlıyordu. Babası diyordu ki: "Alışır, alışırsın. Bu dünyada başka türlü yaşamasının hiçbir çaresi yok..."

Anası durmadan ağlıyordu. Yusuf bayıldığını ansıyor.

İşte bundan sonra böyle eşeğe ters bindirilmiş çok insan gördü Yusuf. Tüyü bile kıpırdamadı. Yusufun gözlerinin önünde çok baş vurdular. Beyazıt kalesinde... Zincirlerle çok insan dövdüler Beyazıdın çarşı alanında. Bütün bu işler olurken babası kendisinden geçiyor, heybetleniyor, yüzü geriliyor, gözleri parlıyor, boyu uzuyor, omuzları genişliyor, bambaşka bir insan oluyordu. Babası sanki bu anlarda yaratandı, yok edendi. Babası bu anlarda Ağrıdağından binbir gümbürtüyle, yıldırımla, şimşekle inmiş bir korku Tanrısıydı.

Yusuf ondan çok korkuyordu. Babası onun için bir baba değil, bir korkuydu.

O gece sabaha kadar uyumadı. Uyuyamadıkça korkusu artıyordu. Mutlak babası Gülbaharın at getirme işini ona açtığını biliyor, zamanını bekliyordu. Babası sevgisini, düşmanlığını, öfkesini, korkusunu, o hiç kimseden korkmazdı, hiç belli etmezdi.

Kaçsam buradan, gitsem Hoşap kalesine, Hoşap Beyinin ayağına düşsem, beni babama verme, beni saklayamazsan, şu

74

aşağı kara gözlü cerenlerin koştuğu çöle gönder. Arapların arasına. Bey de korkar, diye düşündü, babamdan... Babamdan herkes korkar. İran Şahı, Osmanlı Padişahı, herkes herkes korkar. Bir o mendebur Gülbahar korkmaz. Bir de demirci Hüso, bir de Kervan Şeyhi. Kervan Şeyhi bile korkar. Bes, ikisi korkmaz. Yusuf sabahı zor etti. Babası bir duyarsa, böyle böyle işler oluyor da, oğlum oğlumken, bana asi olup haber vermiyor, ben ölmeliyim artık, ya bu oğulun aleme ibret için çarşının ortasında gözlerini oydurup, derisini yüzdürmeliyim ki... Ya da ölmeliyim, derse...

Yusuf gün doğunca daha bir iyice korktu. Ha şimdi, ha şimdi cellatlar gelecekler, kollarımı zincire vuracaklar. Ha şimdi, diye... Kilerin yanında küçük bir oda vardı. Üç adam dik durunca sığacak kadar. Hemen onun içine girdi. Kulağı kirişte... Şimdi onu arıyorlardı bütün sarayda. Sarayda arayacak arayacak, bulamayacaklar, ondan sonra da yollara atlılar çıkaracaklardı. Paşanın oğlu kaçmış diye, bütün dünya çalkalanacaktı. Türlü dedikodular, rivayetler...

Ürpererek, orada kaldı. Kapının yarığından bir damla ışık sızıyordu içeriye. Işık soldu, azaldı, sonra da karanlığa karıştı. Yusuf bir ah çekti. Bugün de yakayı kurtarmıştı. Odadan parmaklarının ucuna basa basa çıktı. Önünden ona bakmadan, saygılıca selama durarak sarayın adamları geçtiler. Yusuf, bu bir tuzak, dedi kendi kendine. Babamın tuzağı. Şimdi yakalatacak. Şimdi... Kulağı yüreğinin kütürtüsünde, açlıktan karnı guruldayarak kendini mutfağa attı. Ortalık bahar akşamı kokuyordu. Uzak keskin bir çiçek kokusu duydu. Sonra genzini kızarmış etin ağır kokusu yaktı. Mutfaktakiler onu görünce hep birden ayağa fırladılar. Yusuf bir süre orada gezindi, fakat onlardan yemek istemeye, orada yemek yemeye utandı. Babasının divandan tok, gürültülü, öfkeli sesi kulağına kadar geldi. Ve ses birden yitti, bıçakla kesilir gibi kesiliverdi. Yusuf hemen mutfaktan çıktı, sarayın avlusuna geldi. Nöbetçi yerinde nöbetçi öfkeli bıyıklarıyla öylece dikilmiş hiç kıpırdamıyordu. Yusuf oradan kendisini sarayın camisine attı. Kovalanan yabanıl bir hayvan gibi bir süre caminin içinde soludu, sonra hareme gitti. Her şeyi anasına anlatmalıydı. Açlıktan da ölecekti, bir de yemek yemeliydi.

Anası onu görünce korktu:

"Ne oldu sana Yusuf?" diye bağırdı. "Hasta mısın?"

Yusuf:

"Hastayım," diye inledi, kendisini yatağa attı. Ateşler içinde yanıyordu. Yusuf kendinden geçti ve üç gün üç gece sayıkladı durdu. Hekimler çağırdılar. Hekimler ona ilaçlar verdiler. Avuçları yumulmuş açılmıyordu. Üçüncü günün sonunda Yusuf gözlerini açtı, bu arada elleri de gevşedi, parmakları açıldı. Sonra ayağa kalktı. Bir ürkek ceren gibiydi. Akşama kadar sarayın içinde döndü durdu. Başka çaresi yoktu, gidip her şeyi olduğu gibi babasına anlatmalıydı. Zaten babası her şeyi biliyordu. Birden Gülbahar aklına geldi. O çok yamandı. O da biliyordu babasının her şeyi bildiğini. Belki bir kurtuluş yolu hazırlamıştı kendisine. Hemen hareme, Gülbaharın odasına koştu.

Gülbahar oturmuş çıkrık eğiriyordu. Çıkrıktan ince, uzun iniltiler geliyordu.

Çıkrık Yusufu çileden çıkardı:

"Gülbahar," diye bağırdı. Sesi can çekişir gibiydi. Korkuydu.

Gülbahar:

"Ne var Yusuf?" diye sordu, durgun.

Yusuf:

"Babam bizim gözlerimizi oyacak, derimizi yüzecek. Babam her şeyi biliyor."

"Sen mi söyledin?"

"Ben söylemedim ama biliyor. Gözlerimizi oyacak. Oyacak Gülbahar! Oyacak!"

Gülbahar:

"Kim söylemiş?"

"Biliyor o, kaçalım. Kaçalım olur mu?"

Gülbahara sarılmış, bacaklarını germiş, çenesi titriyor, kazık gibi kalmış:

"Biliyor Gülbahar, kaçalım!"

"Nereye kaçalım?"

"Nereye olursa. Biliyor."

Gülbahar onu sedire oturttu:

"Dur bakalım," dedi. "Kaçalım mı? Nereye? Dur bakalım."
Yusuf:

"Babam sana tuzak hazırlıyor. Sana her şeyi bildiğini, atı senin getirdiğini, demirci dükkanına gittiğini, bildiğini bildirmek istemiyor. Ben de seni demirci dükkanına girerken gördüm. Babam bunu da biliyor. Ahmedi de biliyor, her şeyi de biliyor. Şimdi burada, böyle konuştuğumuzu da biliyor. Her şeyi gördü, her şeyi biliyor. Kaçmazsak gözlerimizi oyacak babam. İsmail Ağaya söylerken kulaklarımla duydum."

"Ne diyordu?"

"Diyordu ki o kızı da, o oğlanı da öldüreceğim. Bekliyorum, bakalım Yusuf bana her şeyi söyleyecek mi? Gülbahar gelip ayaklarıma düşecek mi? Bugün de bekleyeceğim... Yarın onları yakalayacağım..."

Gülbahar her şeyi anladı. Babasına karşı kendisinin içinde de uzun yıllar böyle duygular vardı. Babası her insanda, her şeyi gördüğü, her şeyi bildiği duygusunu uyandırıyordu. Ve bu duygudan kurtulmak zordu. Ne kadar aklını kullanırsan kullan bu duyguya bir kere derinliğine düşmüşsen bir daha kurtulamazdın. Yusuf bugün değilse, yarın her şeyi, ne biliyorsa hepsini babasına açacaktı. Ya da korkudan böyle kaskatı kesilerek ölecekti. Yusufun şimdi buraya gelmesi kendinde olmayışındandı. Bir de şimdiye kadar babasına gidemeyişi korkusundandı. Gülbahar her şeyi bir bir düşündü. Yusuf varıp at meselesini, demirciyi babasına söylerse her şey anlaşılacaktı. Ve babası mahpusları onun kaçırdığını bilecekti. Hem de Memoyu ölüme gönderenin kim olduğunu anlayacaktı. Memo bunu ne için yapardı, Memo ne için canını böylesine verirdi? Bunu babası düşünmez miydi?

Yusuf birden sapsarı, kaskatı kesildi:

"Ben gidiyorum," dedi, kapıyı vurdu çıktı, koşarak divanın kapısına geldi, deli gibi babasının ellerine sarıldı. Divanda iki Kürt Beyi, İsmail Ağa, subaşı, iki ases vardı. Birkaç da çok uzaklardan gelmiş derviş.

"Baba beni bağışla, beni öldürme, gözlerimi oyma, nolursun! Sen her şeyi gördün, biliyorsun. Beni bağışla. Ben sana hainlik etmedim. Bağışla beni..." dedi.

Durmadan, soluk soluğa, Gülbaharın kendisine gelişini, teklifini, demirciyi, Kervan Şeyhine gidişini, nasıl, nereden ne duymuşsa, anlattı.

"Şimdi de, yetişin Gülbahar kaçıyor," diye ekledi. "Gülbahar kaçtı."

Birden Paşanın kafasında bir şimşek çaktı, her şey aydınlandı. Memonun ona hainlik etmesinin sebebini bir türlü bulamıyordu. Bulamıyor, öfkesinden, kederinden, acısından, Memoyu oğlu gibi seviyordu, deliye dönüyordu.

İki kolları kartal kanadı gibi yanlarına açılarak ayağa kalktı, sarardı. Sallandı, bir iki adım attı, duvara dayanmasa düşecekti. Yüzü apak olmuş, dudakları kurumuş, çatlamıştı. Sakalı titredi. Sonra gerisin geri sedire çöktü. Elleri koynuna gitti.

İsmail Ağanın dışında odadakiler dışarıya çıktılar. Yusuf bitmişti. Sedirin dibine yığılmış kalmıştı.

Paşa:

"İsmail," dedi, "İsmail, bu başımıza gelen nedir? Bu namus belası da mı gelecekti başıma? Bu kız bunu da mı getirecekti başıma? Demek Memo ha? Demek Memoyu büyüledi bu sihirbaz. Demek soyumu lekeledi bu kız. Beş paralık etti, onurumuzu. Bu evin başına her bir bela gelmişti de, işte bu gelmemişti İsmail! Gafil avlandık. İsmail, kimseler duymasın bu başımıza geleni. Koca Osmanlı ülkesine rezil olurum. Demek öyle İsmail! Ama anlamıyorum İsmail. Kime vurgun bu kız? Ahmede mi? Peki Memo? Memo? Memo?"

Mahmut Han aklına gelen öteki ihtimali bir türlü kendisine, kızına yakıştıramıyordu.

"İsmail," diye ayağa kalktı. "Bu işi hiç kimse duymamalı. Şimdi, şu anda kızı da ortadan kaldıramayız."

"Olmaz," dedi İsmail, "hemen Memoya bağlarlar."

"Ne yapalım bu kızı İsmail? Bir çare."

İsmail:

"Bir çare?" dedi.

Uzun bir sessizlik oldu.

Mahmut Han:

"Hiç duymamış, bilmemiş olalım. Olur mu?"

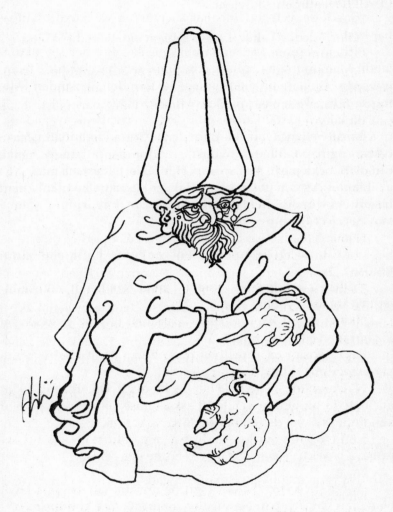

Paşanın kafasında birden bir şimşeğin çaktığıdır

"Olmaz," dedi İsmail Ağa. "Onu hiçbir surette sarayda tutamayız, kaçar. Ya öldürelim, gizliden. Ya da zindana atalım. O, Ali Beyi attığımız kuyuya..."

Paşa:

"Olur," dedi. "Yalnız, kapıya sağlam bir adam dik. Yoksa..."

"Dikerim Paşam."

Paşa yavaş yavaş kendine geliyor, soğukkanlılığına kavuşuyordu. At işi, Sofi türküsü, her şey, her şey anlaşılmıştı artık. Bütün olanlar bitenler apaçıktı. Ahmetle Gülbaharın ilişkisi çok eski olmalıydı.

İsmail Ağa yelyepelek dışarı çıktı. İki adamla Gülbaharın odasına girdi. Gülbahar, Yusuf gittikten sonra İsmail Ağayı, cellatları beklemeye başlamıştı. Her şeye hazırdı. İsmail Ağa ayakta dimdik duran Gülbaharı gösterdi. Adamlar yakaladılar. İsmail Ağa önde, ötekiler arkada zindan kuyusunun yanına vardılar. İçerde kimse yoktu.

İsmail Ağa:

"İndirin aşağı Hanımı," dedi. Saygıda hiç kusur etmiyordu.

Gülbahar kendisi indi. Kapıyı İsmail Ağa kendi eliyle kilitledi ve anahtarı yanına aldı.

"İkiniz de bu kapıda bekleyeceksiniz. Başınız gidecek, bu kız buradan çıkamayacak."

Paşa karısını çağırmış ona olanı biteni anlatıyordu. Sonra yerde yığılmış kalmış Yusufu gösterdi:

"Çocuk bitmiş," dedi. "Hali hiç iyi değil. Ona iyi bak. O kızın nerede olduğunu senden başka kimse bilmeyecek. Yusuf kendindeyse, ona da tembih et, ağzını sıkı tutsun."

Sonra Yusufu yerden kaldırıp yanına oturttu, saçlarını okşamaya başladı. Yusuf ağır ağır kendine geliyordu.

Paşa:

"Sen," diyordu, "benim yiğit oğlumsun. İşte soyuna layık olan yiğit böyle yapar. Namusuna, onuruna leke kondurmaz."

Yusuf:

"Beni öldürmeyecek misin? Gözlerimi oymayacak mısın?" diye şaşkınlıktan kocaman kocaman açılmış korkulu gözlerle sordu.

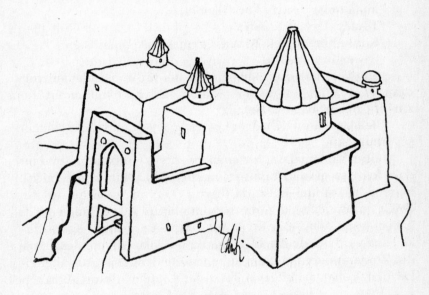

Gülbaharın yattığı zindanın görünüşüdür

Paşa onun alnından öptü:

"Ne diyorsun sen, bu yaptığın insanlıktan, yiğitlikten dolayı sana beğendiğin en güzel bir silah, bir at armağan edeceğim. Ne diyorsun sen? Seni neden öldüreyim?"

Yusuf boşanmış ağlıyordu.

Paşa karısına:

"Hatun, götür çocuğu," dedi. "Kendisinde değil. Çok korkmuş."

Kadın Yusufun koluna girdi, divandan çıktılar.

İsmail onlar dışarı çıkarlarken huzura girdi.

"Tamam Paşam," dedi.

"Kimse bilmeyecek. Kimse duymayacak İsmail Ağa."

"Baş üstüne Paşam."

"Şimdi rahatladım İsmail Ağa. Bir türlü işi anlayamıyordum. Karmakarış olmuştum. Aradan az bir zaman geçsin. Kızın bir çaresine bakarız İsmail."

"Bakarız Paşam. Orası kolay. Hele azıcık zaman geçsin, her şey unutulsun."

Bütün saklamalara, gizlemelere karşın Gülbaharın zindandaki kuyuya atıldığı biraz sonra duyuldu. İlkin kimse bu işe inanmadı. Demirci Hüso da duydu. Kervan Şeyhi de duydu. Onlar bu sonucu bekliyorlardı. Sonra bütün Ağrıdağına yayıldı haber, sonra Van gölü kıyılarına ulaştı. Erzuruma, Karsa, Erzincana vardı. Gülbaharla Ahmedin sevdaları dillere destan oldu. Zindanın kuyusundaki kızın üstüne dengbejler türküler çıkardılar, çobanlar, bilurvanlar sesler yaptılar. Bütün Ağrıdağı yasa battı.

Delikanlılar, yiğitler, sevdaya doymuş kadınlar: "O orada kuyuda kaldıkça biz burada nasıl biribirimizin yüzüne bakabileceğiz," dediler.

Ahmedi, Kervan Şeyhini, Hüsoyu, tekmil Ağrıdağını, eteklerini, Erzurum yaylasını gecelerce uyku tutmadı. Yüreklerinde bir vicdan ağrısı... Öfke, utanç her geçen gün bir yara gibi yüreklerinde azdıkça azıyordu.

Ağrıdağı dünyanın üstüne oturmuş ayrı bir dünya gibidir, ağır, heybetli. Çok zaman Ağrının başı dumanlıdır. Bazı da bulutların yerini savrulan yıldızlar alır. Top top, dönen, bir boranda esen yıldızlar. Güneş uzun gecelerden sonra Ağrının böğründen bir kıpkızıl ateş harmanı gibi çıkar.

Ağrıdağı gecelerde daha büyür, ağırlaşır, dünya yalnız Ağrıdaymış gibi gelir insana. Ulu sessizliğini korkunç gümbürtüler parçalar. Bir uçtan bir uca... Ağrıdağı ıssızlıkta kaynar. Karanlık gecelerde Ağrı silinmez, geceye karışmaz, daha karanlık, ıssız bir gece gibi evrenin üstüne yürür. Ay ışığında bir ince pırıltıdır, salınır. Gecede korkuludur. Karanlığı duvar gibi. Yıldızsız, silme karanlık gecelerde, çok derinlerde, bin yıl ötelerden gelircene Ağrıdağından koygun, boğuk uğultular gelir.

Taş gibi ağır, duvar gibiydi karanlık... Ağrıdağı yürüyor gibiydi. Ortalık çok ıssızdı. Kıyametten bir an öncesinin ıssızlığı gibi... Ve gece, karanlık yürümeye başladı. Ağrıdağının kalın derisi gecede ürperdi. Gecenin etekleri öfkeli, kararlı kaynaşmaya başladı. Gökte hiç yıldız yoktu. Önde, atın üstünde Ahmet, yanda Ağrıdağı insanları... Evler, köyler boşaldı. Bastıkça, aşağı doğru kayan taşlarla birlikte, insanlar dağdan, Beyazıt üstüne bir sel gibi aktılar.

Aynı anda Van kıyısı da uyandı, ova köyleri de... Onlar da Beyazıda aktılar. Gökten düşer, yerden biter gibi bir kalabalık, geceyle, Ağrıdağıyla birlikte Mahmut Hanın sarayının üstüne yürüdü.

Güneş Ağrının bir kanadının üstüne yapışmış, bir batıp bir çıkarken, Mahmut Han sarayının penceresinden kalabalığı hayal meyal seçer gibi oldu. Atlılar, yayalar, keçi, koyun, geyik, tay postuna sarınmışlar, çok uzun boylu, kara yağızlar, altın saçlı, duru mavi gözlüler, güzel bilekli, uzun boyunlu iri gözlüler...

Gün açıldıkça kalabalıklar, kalabalıklar, dağılan bir sisin altından usul usul çıkar gibi, etekleri dalgalanan gecenin içinden çıktılar. Mahmut Han kalabalığı görünce gözlerini yumdu, sonra açtı. Ahmet atın üstündeydi. Mahmut Han birden öfkeye kapıldı, yanına yönüne bakındı, bir emir vermek istedi, ağzı kurudu, sonra düşündü. Şu Beyazıt kasabası taşıyla toprağıyla asker olsa neylerdi ki bu kalabalığa? Bir ucu Beyazıt ovasında, bir ucu Ağrıdağının doruğuna yakın yerlerde...

Kalabalık ağır ağır saraya yürüdü. Karıncalar gibi... Hiç çıt çıkmıyordu, hiç kimseden... Bir an koca bir çıtırtı duyuldu. Sarayın kapısı çöktü, kalabalık içeriye aktı. Gene sessiz, ağır, zindana vardılar. İsmail Ağa Gülbaharı zindandan çıkarmış, titreyerek kapıda duruyordu. Gülbahar doğan güne karşı gözlerini kirpiştiriyor, kamaşmış gözlerle ne olup bittiğini göremiyor, yalnız zindanın kuyusundan çıkarıldığını biliyordu. Kalabalık gene ağır, sessiz, Gülbaharı arasına aldı, sarayın kapısından çıktılar.

Orada, ötede Ahmedi Haninin mezarının yanına büyük bir ateş yakılmıştı. Dervişler, sofiler bir harman yeri kadar serilmiş közün üstünde yürüyorlar, közün kıyısına dizilmiş, halkalanmış müritler de ateşte yürüyenlere ilahiler söylüyor, zikrediyor, kaval çalıyorlardı. Kalabalık gene sessiz, ateş harmanının yöresini aldı. Ağrıdağının yamacı silme insandı. Çok uzaklardan ateşte yürüyenler gözüküyordu. Ateşte yürüyen dervişlerin terli çıplak bedenleri, parlayan közler arasından bir su gibi fışkırıyordu.

Mahmut Han:

"Ben korkağım," diyordu ve yalınkılıç, tek başına kalabalığın üstüne atılmak için çabalıyordu. İsmail Ağa, ötekiler onu zor tutuyorlardı.

"Bundan sonra yaşamışım ki, neye yarar?" diyor, inliyordu. "Koca Osmanlının adını beş paralık ettim... Dünyaya karşı rezil rüsva oldum. Bunu Saray bir duyarsa ne olur? Bundan böyle yaşamışım ki, neye yarar?"

Ama ne kalabalık! Bu kalabalığa güç yetmez ki... Bu kalabalıkla ordular başa çıkamaz ki... Şu at da amma baş belasıymış, diye içinden geçiriyordu Mahmut Han. Acaba bu belayı, at işini hep Allah mı yapıyordu?

Kalabalık gün batana kadar orada, Ahmedi Haninin türbesinin yanında eğlendi. Davullar çaldı. Dervişler yarı çıplak, şemsiye gibi açılmış saçlarıyla ateşin üstünde, ayakları uçarak, elleri ayaklarına karışarak oyunlar oynadılar. Ve delikanlılar, kızlar, kadınlar, insan soyunun gördüğü en güzel incelikte gövend tuttular. Bir kadın bir erkek dizilmiş gövendin uzunluğu gelip saraya kadar dayanıyor, yedi davulcu, yedi zurnacı aynı havayı çalarak bu uzun gövendi ancak idare edebiliyorlardı. Kadınlar nakışlı ipek önlüklüydüler. Kofileri gün gibi ışılayıp

Yer götürmez bir kalabalığın sarayın üstüne yürüdüğüdür

akıyordu ve gövend gelip Ağrıdağının eteğinde dalgalanan bir deniz gibiydi. Dalga bazı yürüyor, azıyor, bazı küçülüyor, inceliyor, köpürüyordu.

Gülbaharı demircinin evine götürdüler, yıkadılar, lahuri kumaştan, eski, güzel, sanki dikiş görmemiş bir masal giyitiyle giydirdiler. Sonra da onu babasının atına bindirip Kervan Şeyhinin evine götürdüler. Ahmede başka bir at bulmuşlardı. Gülbahar, Ahmet, niyaz edip Kervan Şeyhini omuzlarından öptüler. Şeyh de onları öpüp kutsadı. Bütün olanların bitenlerin Mahmut Han görebildiği kadarını gördü, göremediklerini de anı anına ona ilettiler.

Şeyh dedi ki:

"Mahmut Han bir Osmanlı, bir kafirdir. Bunlar insandan ayrı yaratıklardır. Bunu bizim yanımıza bırakmaz. Ağrıdağının başına iş açar. Bir şey değil çoluk çocuğu öldürür. Bir de göreneği biz bozmuş olmayalım. Ahmet sen şimdi Gülbaharı al, doğru Hoşap kalesine, Beye git. Yanına da Halifem İbrahimi vereceğim. Hoşap kalesi Beyi İbrahimi tanır. Varın gidin, işinizi Hoşap kalesi Beyi görsün. Benim müridimdir," dedi.

Kadim bir gelenek vardı. Bir delikanlı bir kızı kaçırıp da bir eve sığındığında, kızın babası kim olursa olsun, sığınılan evin sahibi kızı ona veremezdi. Babasının rızasını ne pahasına olursa olsun alır, başlığını verir, düğününü yapardı. Böyle kaçırılmış kızlar yüzünden çok kan dökülmüştü.

Şimdi Gülbaharla Ahmet Hoşap kalesi Beyine gidiyorlardı. Hoşap kalesi Beyi Osmanlıya yarı bağımlı bir Beydi. Bu kaçırılan kız Mahmut Hanın kızı değil de, Osmanlı Hünkarının kızı olsaydı, Hoşap Beyi onu gene kapısından çevirmezdi. Beylik geleneği buna izin vermezdi. Dövüşür başını verir, beyliğinden olurdu ama, kızla oğlanı hiç kimseye veremezdi. Yoksa halk içinde rüsva olur, yüzüne kimse bakmazdı.

Hoşap kalesi Van gölünün doğusunda bir ovadan yükselen, büyük kervan yolunun üstünde, yüksek, duvar gibi inen sarp kayalara kurulmuş iç içe üç muhkem surla çevrilmiş, güzel bir kaleydi. Dibinden aydınlık Hoşap suyu akardı. Kalenin ne zaman yapıldığını kimse bilmiyordu. Bu kaleye yüzyıllardan bu yana, her çağda bir parça eklenmişti. Eklenmişti ama, hiç de bu kalenin bütünlüğü bozulmamıştı. Hoşap Beyi dünya kalelerinin en güzelinde oturuyordu.

Gülbaharla Ahmet kalenin kayalığı dibinde atlarından indiler. Atlar, aşağıda, ovada, köydeki Beyin askerlerinin ahırına çekildi. Nöbetçi, İbrahimi görünce niyazda bulundu ve onları kaleye götürdü.

Bey olanı biteni İbrahimin ağzından dinledikten sonra:

"Bu Mahmut Han gelenek, görenek bilmez. O Bey değildir, paşadır, Osmanlıdır. Duydu ki çocuklar buraya gelmiş, asker çeker üstümüze yürür. Ne yapalım, doğrulukla kızı isteriz. Bütün malımızı mülkümüzü veririz, kızı Ahmede alırız. Şeyhimizin emri başımız üstünde, canımızı bile veririz," dedi.

Ve el çırptı adamları geldi:

"Konuklara yemek çıkarın, yer gösterin. Çok uzak yerlerden at sürmüşler," diye emir verdi.

Gülbaharla Ahmet çıktıktan sonra Hoşap Beyinin genç yüzü kederlendi, gözleri bulutlandı. Sarı saçları buğulandı. Silkindi, ayağa kalktı, çok uzun boyluydu:

"Halife," dedi, "Şeyhin emri baş üstüne ama, bu işin altından nasıl kalkacağız? Başka, herhangi bir adam olsa biner atıma giderdim, benim hatırım için kızın Gülbaharı oğlum Ahmede ver, derdim. Mahmut Han bu dilden anlamaz. Derhal insanı zindana atar. Onurlu, yiğit dediğim dedik bir insandır. Ben onu İstanbuldan tanırım. Babam da babasını tanırdı. Bu iş neymiş, bu Ahmet bu kızı saraydan nasıl kaçırdı, sen anlat bakalım ona göre bir şey düşünelim."

İbrahim önce attan başladı, olduğu gibi söyledi. Sonra bütün olanı biteni bir bir anlattı. Bey:

"Zor Halifem, zor," dedi. "Müşkül. Kudurmuştur Mahmut Han. Bunun öcünü bütün Ağrıdağından, Van denizinden, sonra da benden almaya kalkar. Van paşasına çoktan haber gelmiştir, ama ne yapalım."

O gün bütün gece düşündü. Sabahleyin İbrahimi çağırdı:

"Bak Halifem," dedi. "Şimdi ne düşündüm. Bundan on beş, yirmi gün sonra Mahmut Hana güzel dilli Molla Muhammedi göndereceğim, barışmak için Mahmut Han ne isterse yapacağım. Şeyhime söyle, eğer Mahmut Han kızının karşılığında

Hoşap kalesini de istese vereceğim. Şeyhime söyle, üstüme Osmanlı ordu da çekse, kızı canımı vermeden kimseye vermeyeceğim. Şeyhime selam söyle bana itimat ettiğinden dolayı, en değerli emanetini bana yolladığından dolayı ona minnettarım. Ellerinden öperim."

O gece kalede, en değerli konuklara verilen yüksek tavanlı, mermer tabanlı, kırmızı keçe döşeli, duvarlarına eşsiz Kürt kilimleri, halıları asılmış odayı verdiler onlara. Yorganın yüzünü atlasla kaplamışlardı. Döşek geniş bir döşekti.

Gülbahar Ahmedin yatağa girmesini saygıyla bekledi. Duvarda gümüş bir kandil yanıyor, içyağına hoş bir koku karıştırılmış, oda baş döndürücü tatlı bir kokuyla kokuyordu.

Ahmet yatağa girmeden önce kılıcı çekti, yalınkılıcı döşeği iki parçaya bölercesine döşeğin üstüne yatırdı. Kılıcın kabzası yastığa dayandı. Altın kabza yastığın dibinde dondu kaldı. Ve Ahmet yastığın bu yanına uzandı. Gülbahar bu işe şaştı. Yollarda, Erçişteki handa da, Vanda da böyle yapmıştı Ahmet. Bu demekti ki, biz seninle aynı yataktayız ama bacı kardeşiz. Aralarında bacı kardeşlik kalmış mıydı? Sarayda, zindanın üstündeki odada Gülbahar hiçbir zaman bir daha onunla karşılaşamayacağız diye, kendini Ahmede vermemiş, onun kadını olmamış mıydı? Şimdi bu neyin nesi oluyor, kılıcı aralarına koymakla Ahmet ne demek istiyordu?

Gülbahar da geldi yatağa girdi, Ahmet onu ne öptü, ne de ona dokundu... Kılıcı ortaya koymak zaten bu demekti. Bu gece hiç de konuşmadılar.

Gülbaharın yüreğini ateş almış yanıyordu. Neydi, ne oluyordu? Ahmede bir şey mi yapmıştı? Onun bilmediği bir gelenekleri mi vardı Ağrıdağlıların?

Sabaha kadar uyuyamadı. Türlü sebepler geldi aklına. Kötü ya da iyi.

Gülbahar gerilmiş yay gibiydi ve sevdadan çıldırıyordu. Bir şey gerçekse o da ortada inkar edilemez bir değişikliğin olduğuydu ve Ahmet kendisine eskisi gibi, ilk karşılaştıkları günkü gibi davranmıyordu. Biraz soğuk, çok öfkeli, çok düşünceli. Neydi, niçindi, bu Ahmetteki değişiklik?

Sabaha karşı Gülbahar dayanamadı, onu uyandırdı.

"Uyan," dedi sert. "Senden soracak bir tek sorum var. Doğru, dosdoğru, yüreğindeki gibi karşılık ver. "

Ahmet konuşmadı. Doğudaki dağların başı ağarıyor, koyu ışıklar yataklarının üstüne pare pare düşüyordu. "Bu kılıcı neden aramıza koydun? Bunun sebebini öğrenmek isterim. Sarayda ben senin kadının olmadım mı? Bundan sonra araya kılıç konduğu görülmüş müdür? Ya da benim bilmediğim bir görenekleri, gelenekleri mi var dağlıların? Bana bunun karşılığını söyleyeceksin, beni seviyorsan."

Ahmet sustu.

"Bunu bana söyleyeceksin."

Ahmet karşılık vermiyor, Gülbahar durmadan karşılık istiyordu. Ahmet utancından yerin dibine batıyor, aklına üşüşen düşünceyi kafasından kovmaya çalışıyordu ama, bir türlü korkunç düşünceyle baş edemiyordu. İçini yakan, kendi kendinden utandıran düşünceyi Ahmet kendine bile söyleyemiyordu ki Gülbahara söylesin.

Sonunda Gülbahara yalan söylemek zorunda kaldı:

"Bizim geleneğimizde yok ama, bu kalenin, bu göl kıyılarının, bu ovaların geleneğinde var... Onun için koydum kılıcı aramıza. Baban seni bana verinceye kadar sana el süremem."

Gülbahar kanmadı ama sustu. Ahmedin kendine dokunmadığının sebebini o da şöyle, kopuk kopuk sezinliyordu ama, o da kendisine bile söyleyemiyordu.

Ve günler geçti. Ahmedin içini bir kurt derinden derine kemiriyor, bu kemirilişi Gülbahar her an görüyordu. Ahmedin gözleri çukura kaçmış, tüm ışığını, ferini yitirmişti.

Gülbahar günden güne bu ağır yükün altında bitkindi. Dünyası bir karanlık dört duvar olmuştu. Kendini hakaretlerin en büyüğüne uğramış sayıyordu. Koca kalenin hareminde yaslı, uyurgezer, ağzına bir lokma yemek koymadan dolaşıp duruyordu. Haftada birkaç kere Ahmet Hoşap Beyiyle birlikte atlara binip ava gidiyor, akşamları yabankeçileri, tuhaf, görülmemiş büyük kuşlarla, geyiklerle dönüyorlardı. Gülbahar bu günlerde azıcık soluk alabiliyor, hiç olmazsa karşısında can çekişen Ahmedi görmüyordu.

Gülbaharla Ahmedin aralarında yalınkılıç hiç konuşmadan yattıklarıdır

Artık Ahmet onun yüzüne bile bakmıyordu. Kaledeki herkes Ahmedin bu halinin farkındaydı. Bey ikide birde Ahmedi yakalıyor:

"Üzülme oğlum Ahmet," diyordu, "bütün Osmanlı ordusu üstüme gelse, siz muradınıza erişeceksiniz. Benim evime gelen kişinin, Şeyhin himmeti, görklü nazarı üstünde olan kişinin hiçbir şeyden korkusu, ürküntüsü olabilir mi? Bu kişi umutsuzluğa kapılabilir mi?"

Ahmet hiçbir söze varmıyor, sadece Beye giilümsüyordu. Onun yüreğini yakan derdi hiç kimse bilmeyecekti. Gülbahar bile. Sezecek ama, bilmeyecekti.

On beş gün önce Beyazıda giden Molla Muhammed bir sabah döndü. Beyle Ahmet ava gitmek için hazırlanıyorlardı. Bey, Molla Muhammedi divanına çekip sordu:

"Ne var Muhammed? Ne haber? İyi mi, kötü mü?"

"Kötü," dedi Muhammed. Ak sakalı bir su gibi yüzünden aşağı aydınlanarak akıyordu. "Çok kötü. Paşa beni çok kötü karşıladı. Az daha kılıcını çekip parçalayacaktı. Bana dedi ki, herkesten beklerdim bu düşmanlığı, alçaklığı, bes ondan beklemezdim. Git ona söyle, dedi bana... Kızla Ahmedi biribirine bağlasın, hemen bana yollasın. Bir bölük askerle... Gidişinden sonra on beş gün bunu Beyden bekleyeceğim. Eğer kızla Ahmet gelmezse, üstüne asker çekeceğim, dedi. Senin için, Şeyh için ağzına geleni söyledi."

"Şeyh için de mi söyledi? Şeyh için de mi?"

"Şeyh için de."

"Bu adam kudurmuş, aklını oynatmış."

Beyi düşünceler aldı, dışarı çıktı, Ahmet onu kapıda bekliyordu. Bey ona hiçbir şey söylemeden kaleden aşağı, köprüye indiler. Ahmet soru dolu gözlerle onun konuşmasını bekliyordu. Sonunda köprüde durup, Bey dedi ki:

"Bu adam kudurmuş," dedi. "Şeyhe de küfretmiş. Başına belalar gelecek. Bizim üstümüze de ordu çekecekmiş on beş gün içinde."

Ahmet:

"Biz gidelim Bey," dedi. "Bizim için kan dökülmesin. Yazıktır."

Bey:

"Hiçbir yere gidemezsiniz," diye kabardı. "Hoşap kalesinin kapısını kurulduğu günden bu yana kimse açamamıştır. Geleceği varsa Mahmut Hanın göreceği de var. Sen bu evin oğlusun, hiçbir yere gidemezsin. Bu benim onurumdur. Artık ortada ben varım. Sen yoksun. Otur kalede keyfine bak."

Bey bundan sonra da Ahmetle ava gitti geldi. Ava çıkıyorlar, Mahmut Hanın askerlerini bekliyorlar, bir savaşa hazırlanıyorlardı.

Ve Hoşap kalesine aşağı çölden, Ağrıdan, Muş ovasından, Urmiye gölünden, Vandan, Bitlisten, Diyarbakırdan yardım teklifleri geliyor, her yerden bir dost eli uzanıyordu. Bu durum da Beyin çok hoşuna gidiyordu. Osmanlıyla bir daha bir boy ölçüşecekti, Hoşap kalesi düzlüğünde. Bir kadim beylik geleneğinin selameti için. Yüklendiği borç için.

Gün doğuyordu ki uzaktan bir top atlı göründü. Doludizgin geliyorlardı. Hepsinin altındaki at da kır donluydu. Atlılar Hoşap kalesinin altındaki köprüde atlarının başlarını çektiler. Onları Hoşap Beyinin adamları saygıyla karşılayıp atlarının başını tuttular.

Hoşap Beyi gelenleri kalenin iç surunun kapısında karşıladı. Gelenlerin hepsini yakından tanıyordu. Bu yörelerin aşiret beyleriydi. Niçin geldiklerini de biliyordu. Demek ki Mahmut Han savaşı göze alamamıştı.

Zilan Beyi genç, yakışıklı, atak, coşkun bir kişiydi. O konuştu. Eğri, kıvrık, kartal gagası gibi bir burnu vardı. Sesi derindi:

"Bey," dedi, "bu yüzden bir savaş olmasın. Bir yolunu bulmaya geldik. Mahmut Han asker çekiyordu. Önüne geçtik. Söz senin."

Hoşap Beyi konuştu:

"Her şeyi siz benden iyi biliyorsunuz. Ben Ahmetle Gülbaharı Paşaya gönderemem. Çarem yok. Bunun dışında Paşa benden ne istiyorsa başım üstüne. Oğlanla kızı ona gönderirsem, benim yüzüme, soyumun yüzüne kıyamete kadar köpekler bile bakmaz. Bu kadar beysiniz, bir yolunu bulun, boynum kıldan ince. Paşaya saygılarımı söyleyin. İsterse tüm varımı, canımı vereyim. Ne isterse yaptırayım, damadına köyler bağışlayım, kendi de ne isterse başım üstüne... Ama evime gelmiş bir konuğu, bir can için ona gönderemem."

Zilan Beyi:

"Doğru söylüyor Bey," dedi. "Biz boşa geldik."

"Boşa geldik, ayıp ettik," dediler ötekiler de. "Bizde azıcık adamlık kalmış olsaydı, böyle bir teklifle Beyin karşısına çıkmazdık. Ayıp ettik."

İkinci gün atlarına bindiler sürdüler.

Mahmut Han beylerin Ahmetle Gülbaharı Hoşap kalesinden alıp geleceklerini sanıyor, onlara işkencelerden işkence, ölümlerden ölüm kuruyordu. Ve bir kere olsun Hoşap Beyinin kızla oğlanı vermeyeceği aklından geçmiyordu. Çünkü sıkı bir tehdit göndermişti Hoşap Beyine. Üstüne Osmanlı askerini çekeceğini bildirmişti. Hoşap Beyi de eskiden olduğu kadar güçlü değildi. Ne pahasına olursa olsun kızla oğlanı verecekti. Giden koskocaman, soylu beyler de boş yere gitmiyorlardı ya...

Beylerin eli boş dönmesi onu çılgına çevirdi. Hiç beklemiyordu. Bir şeyler oluyordu. Artık Osmanlıyı kimsecikler dinlemiyordu. Bir Hoşap Beyine bile gücü yetmiyordu. Erzurumdaki Rüstem Paşaya ahvali olduğu gibi bildirmeli, onun yardımını sağlamalı, ondan sonra Hoşap kalesini yerle bir etmeliydi. Beylere öfkesini hiç belli etmedi.

Zilan Beyi:

"Hoşap Beyinin hakkı var," dedi. "Konuk gelmiş sevdalılar bir can için geriye gönderilemez. Paşa bir çaresini bulalım şunun."

Mahmut Han sustu.

O gün büyük bir şölen çekti beylere. Divanı çok kalabalıktı.

Sabahleyin Paşa olayı baştan sona anlatan bir name yazdı Erzurum Paşasına. Erzurum Paşası Padişahın gözdelerindendi. Yıllarca sarayda kalmış, büyük vezirler arasına girmişti. Eğer Erzurum Paşası kendisini tutarsa, her şey kolaydı ve Hoşabın o

Ahmetle Hoşap Beyinin ava gittikleridir

şımarık Beyinin kellesini almak da çok kolaydı. Yazdığı name çok acıklıydı. Dağlardan bir gece yabanıl kurt gibi yüz binlerce insanın indiği, sarayı bastıklarını ve kızını kaçırdıklarını en acıklı sözcüklerle yazıyordu. Kalabalık karşısında askerleriyle birlikte eli kolu bağlı kalakalmış, bu karınca örneği kalabalığa hiçbir şey yapamamıştı.

Uzun bir süre sonra gönderdiği ulak Erzurumdan geldi. Rüstem Paşa onun namesini okumuş okumuş gülmüştü. Karnını tuta tuta, bayıla bayıla, ulağa gecenin kalabalığını anlattıra anlattıra gülmüştü.

"Benden selam söyle Mahmut Hana, kızı hemen o delikanlıya versin. Kızı hak etmiş o delikanlı. Atı hak ettiği gibi. Ben de yazacağım ona ya..." demişti ulağa.

Mahmut Han güzel bir el yazısıyla yazılmış Rüstem Paşanın mektubunu okuyor, ona: "Alçak," diyordu. "Alçak oğlu alçak, benimle alay ediyor. Kendi başına gelsin bakalım. Kızını bir dağlı köpeği kaçırsın bakalım, gülebilir mi, alay edebilir mi? Bir kız için bütün dünyaya savaş mı açacaksın diye tepeden konuşabilir mi? Ben de bu köpeği dost bildim, evimde padişah ağırlar gibi ağırladım. Sarayımı kıskandı. Şimdi onun öcünü alıyor bu mektupla benden."

Mektubu eviriyor çeviriyor, bir kez daha, bir kez daha okuyordu.

Hoşabın üstüne asker çekecekti. Ya Hoşap Beyine, bu yırtıcı, yabanıl kurda yenilirse... Şimdiye kadar Hoşap kalesinin yenildiği görülmüş değildi.

Mahmut Han gittikçe bunalıyor, bunaldıkça dengesini yitiriyor, her gün İsmail Ağayla konuşuyor, güvendiği Beyleri çağırıyor, onlara danışıyor, bir çare bulamıyordu.

Bu arada Hoşap Beyinin elçisi, şirin dilli Molla Muhammed saraya gidip geliyor:

"Paşam," diyordu, "sana canımız kurban. Beyimiz diyor ki bir kız için beni ele aleme rüsva kılmasın. Ellerinden öperim. Konuklarımı Paşam elimden alırsa burada benim yüzüme köpekler bile bakmaz. Soyumun da yüzüne bakmazlar. Kızın başlığını, ne derse vereceğim. Canımı bile istese Paşa, yoluna, Mahmut Han yoluna kurban ederim. Ahmet de öl dediği yerde ölecek."

Hoşap Beyi Mahmut Hanın tutumunu gün gün izliyordu. Erzurum Paşasına, Van Paşasına, irili ufaklı beylere, dahası İstanbula, Padişaha başvurduğunu biliyordu. Erinde geçinde bu akılsız, inatçı adam üstüne asker çekecek, belki yıllarca sürecek bir savaş başlayacaktı. Fakir fıkara gene açlıktan kırılacaktı. Bir kaçırılmış kız yüzünden. Bu geleneği de kim, hangi akılsız bey, hangi akılsız halk kurmuştu?

Paşa da korkuyordu. Bu işe son vermeliydi. Atın gelip Ahmedin kapısında durması, sonunun böylesine büyük bir sevdaya varması, bu sevdaya saygıdan Memonun kendini feda etmesi, Ahmede, Gülbahara, kutsal bir kişilik kazandırıyordu. Gene bir gece yukardaki dağın, aşağıdaki ovanın insanları ayağa kalkacaklar, bu sefer de taş üstünde taş koymamasına sarayı yıkacaklar, sarayda bir tek canlı bırakmayacaklardı.

Mahmut Han her gün geçtikçe bunu kuruyordu. Geceleri uyuyamaz olmuştu. Kulağı kirişte, en küçük bir çıtırtıda hemen fırlıyor, yalınkılıcı elinde sarayı, uyurgezer dolanıyordu.

Sıkışmıştı. Bu işe bir çare bulamıyordu. Onuru, koca Al Osman ülkesinin onuru kendi yüzünden beş paralık olmuştu. Küçücük Hoşap Beyine yenilmişti. Ve de Osmanlı yenilmişti.

Gün geçtikçe eriyor, bitiyordu. Ne yapacağını bilemiyor, artık hiç kimseyle konuşmuyordu. Gün geçtikçe bir lanet çemberiyle sarıldığını ta yüreğinin başında duyuyordu.

Her yıl, bahar Ağrıdağının üstüne yürürken, dağın yamacındaki Küp gölünün kıyısına o yörenin tekmil çobanları gelirler, kepeneklerini gölün bakır rengi toprağının, kırmızı çakmaktaşı kayalıklarının üstüne serip halka olup otururlar. Çobanların her yıl sayısı değişir. Tanyerleri ışırken bellerindeki kavallarını çıkarıp Ağrıdağının öfkesini hep birden çalmaya başlarlar. Tam gün batar batmaz da usulca, hep birden kavallarını bellerine sokar, doğrulurlar. Bu sırada da küçük bir ak kuş gelir kanadının birisini gölün som mavisine batırır, uçar gider. Uzakta, yukarda bir gemi gibi karlar ülkesinde yüzen kayalığın dibinde çok iri bir at belirir, alacakaranlıkta koşumları ışıldar.

Bir hayal olur gölün üstüne kayar, pare pare solarak ovada erir, çekilir, yok olur.

Sonra çobanlar çekilip gidince de, bir dengbej bir çadırda, nennilenen keskin bahar toprağına diz çöküp değneğini çeker, başlar türküsünü söylemeye. Bir kavalcı da ona eşlik eder. Lanetli Ahuri toprağına diz çöktüm. Bin yıllık sevda toprağına, bin yıllık bahar toprağına diz çöktüm. Üç kere seslendim. Üç kere ulu dağ sesime karşılık verdi. Som kırmızı, som mavi, som sarı açmış çiçeklerin, som yeşilin üstüne, balkıyan, dağın doruğundaki yıldız harmanının altına diz çöktüm. Dağın sırtına, karlı yüreğine diz çöktüm... Büyük sevdalara yüreğini açmış dağın aydınlığına, ışığına diz çöktüm. Ulaşılmaz öfkenin türküsünü söyledim. Karanlık bulutun altına, başımı döndüren kokunun içine diz çöktüm. Uçsuz bucaksız, dağdan akan bir ulu yalım selinin üstüne diz çöktüm. Üç kere seslendim dağa, üç kere seslendim bin yıllık bahar toprağının yüreğine, üç kere seslendim bin yıllık sevda toprağının kulağına. Çoban dedim, çoban nerdesin? Çoban geldi karşıma dikildi.

Ve çoban Beyin kızına aşıktı. Kız da çobana aşıktı. Bey bunu duydu. Beyin on beş köyü vardı. On beş köyü işte bu Ahuri koyağındaydı. Bey dedi ki, şu çobanı yakalayın. Şu benim kızıma sevdalanmaya cesaret eden çobanı. Ölü ya da diri isterim.

Sevda kuşu bir ateş oldu. Yalımdan bir yuva yaptı, yalımdan bir kavak ağacında. Sevda kuşu o yuvada yattı. Üç yavrusu oldu. Sevda kuşu üç yalım yavruyla uçtu. Uçtuğu yerler, konduğu yerler yalıma kesti. Dağ yalıma kesti, taş yalıma, toprak yalıma kesti. Gökyüzü, yıldızlar bir yalımda çalkandı. İnsanlar yalıma kesti. Yalımdan sevda kuşu dağların, denizlerin ötesine uçtu. Denizlerin ötesi yalıma kesti. Dağların ötesi... Çiçekler yalım açtı. Som mavi yalım açtı, sarılar, yeşiller yalım açtı.

Çoban Ağrıdağına sığındı. Ağrıdağının yüreği yalıma kesti. On beş köyün erkekleri yakalamak, öldürmek için çobanın ardına düştüler. Delik delik Ağrının her yerini aradılar. Dağ, çobanı sakladı. Çoban yalıma kesti.

Kız da bir gün yüreğindeki sevdaya dayanamadı, o da kendini vurdu Ağrıdağına. Çoluk çocuk, genç yaşlı, kadın erkek, on beş köyün insanı bu sefer de kızın ardına düştüler. Ağrı kızı da sakladı. Kız yalıma kesti.

Bir gün çoban duramaz oldu, Ağrıdan destur isteyip saklandığı yerden çıktı. "Sevgilimi bir daha göreyim de beni öldürürlerse öldürsünler," dedi. Köyün üstüne yürüdü. Üç gün üç gece köyün yöresinde dolandı. Ölümü geciktirmek istiyordu, ölüm zor. Sonra gözünü kapayıp köye yürüdü. Baktı ki köyün yerinde yeller esiyor. Öteki, öteki köye vardı, köyler ortada yok. Baktı ki az ötede, kendi evlerinin bulunduğu kayanın yanında sevgilisi dolanır durur. İki sevgili kavuştular.

Ağrıdağı zulme, kötülüğe öfkelenmiş, kaldırmış bir parçasını bunların üstüne yollamış. On beş köy tekmil canlısıyla dağın altında kalmış. Dağ yutmuş onları... Ağrının öfkesi budur. Aşk kuşu bir yalımdır. Dokunduğu yüreği yalım eder. Sevda yuvası yalımdır.

Ağrının öfkesidir bu. Ağrının belasıdır. Ağrıya karşı çıkılmaz. Ağrının lanetidir bu.

Ve her bahar Küp gölü çiçeklenirken bütün Ağrıdağının çobanları gölün kıyısına gelirler, bin yıllık bahar toprağının üstüne kepeneklerini atarlar... Ve yalımdan sevda kuşu... Kanadını gölün som mavisine batırır.

Demirci Hüso yarı çıplak sarayın kapısına gelmiş olanca sesiyle bağırıyordu:

"Paşa, Paşa," diyordu. "Duydun mu baharın kavalcısını? Anladın mı Paşa? Ağrının öfkesi üstüne olsun... Ağrının belası üstüne olsun. Bırak yakasını sevdalıların."

Mahmut Han adamlarına:

"Varın da şu demirciyi buraya getirin bakalım ne diyormuş anlayalım."

Hüso yarı çıplaktı. Güçlü bedeni insanüstü bir insanın bedenine benziyordu. Mahmut Han onu böyle görünce ürperdi.

Demirci:

"Sana gönderdiğim türkücüyü dinledin mi?" diye sordu.

Han:

"Dinledim," dedi.

"Peki, ne diyorsun? Hiç korkmuyor musun?"

Paşa sustu.

Sevdalı çobanın Ağrıdağına sığınıp ölümden
kurtulduktan sonra kaval çaldığıdır

Hüso ağzına geleni söyledi ve dağın bir parçası gibi ayağa kalktı, yürüdü. Divan kapısından çıkarken de:

"Sen bilirsin Paşa, sen bilirsin," dedi.

O çıktıktan sonra İsmail Ağa:

"Paşam," dedi, "sana birkaç sualim var."

"Sor," dedi Paşa.

"Bu Ağrıdağının başına hiçbir insan çıkmış mıdır?"

"Yok," dedi Paşa.

"Çıkabilir mi oraya insan olan?"

"Belki çıkar," dedi Paşa. "Çıkar ama geriye dönemez. Ağrı yakalar onu bırakmaz."

Ağrının tepesine çıkmayı çok kişi denemiştir. Ama dağın tepesine gidenlerden hiçbirisi geriye dönememiştir.

Ağrının tam tepesinde bir ateş harmanı vardır. Doruğun tam ortasından bir kuyu dünyanın ortasına iner. İlk ateş bu kuyudan alınmıştır. İnsanoğlunun gördüğü ilk ateş Ağrıdağının yüreğindeki ateştir. İnsanlar bu ateşi almak istemişler, almışlar da... Ateşi kaçıranlardan bir tanesi dağın gafletinden faydalanmış, ateş gölünden bir tutam ateş koparmış, başlamış dağdan aşağı koşmaya, ta aşağılara inmiş. Tam bu sırada Ağrı uyanmış, bakmış ki ateşi koparan başını almış gidiyor. Hemen eli ateşli adamı orada, olduğu yerde yakalamış, durdurmuş. Adamı da, elindeki ateşi de o anda, orada dondurmuş.

Ağrıdağının yamaçları böyle taş olmuş adamlarla dolu. Ağrı, doruğuna çıkanı, orayı göreni, ateşini çalsın çalmasın, hiçbir zaman bağışlamamıştır.

İsmail Ağa:

"Öyleyse Paşa, sana bir teklifim var."

"Söyle İsmail."

"Şimdi haber gönderelim Hoşaba... Gülbaharla Ahmet buraya gelsinler. İstersen ben giderim Hoşaba, onları alır getiririm. Ahmet Ağrıdağının başına çıkabilirse, çıktığını da bize ispat edebilirse kızı ona elimizlen vereceğiz. Düğününü de biz yapacağız. Böylelikle Ahmedin elinden kurtuluruz. Halkın dilinden, zulmünden kurtuluruz. Kimsenin bir diyeceği kalmaz."

Paşa:

Demirci Hüsonun huzura gelip ağzına geleni Paşaya söylediğidir

"Kalmaz," dedi. "İyi akıl İsmail. Yanına iki üç bey al, sen git Hoşaba. Ahmet gelsin. Gülbahar da gelsin. Eğer teklifimi kabul etmezse Ahmet, Hoşap Beyine söyle kızı göndersin."

İsmail Ağa, daha beş kişi, ikisi bey, hemen o gün atlandılar. Hoşaba doğru yola düştüler.

Hoşap kalesine vardılar. Bey onları her zamankinden daha dostça karşıladı. Onları büyük bir toyla onurladı. İsmail Ağa işi Beye o gece açtı.

"Nasıl olur İsmail Ağa, bu ölümdür!" dedi Bey. "Paşa Ahmedi ölüme gönderiyor. Ağrıdağının doruğuna çıkmış da hiç geriye dönmüş bir kişi var mıdır? Görülmüş, duyulmuş mudur?"

İsmail Ağa:

"Ben bilmem," dedi. "Ne isterseniz yaparız diyen sizdiniz. İşte biz de istiyoruz."

Bey:

"Bir de Ahmede söyleyelim bakalım, o ne der?" dedi umutsuzca.

Ahmet teklifi kabul etmezse, Hoşap Beyi onu kalede korumak zorunda değildi. Bunu da hem Ahmet, hem de herkes bilirdi. Ve Paşa da savaşmaya hak kazanırdı.

Bey Ahmedi çağırtıp İsmail Ağanın, ötekilerin önünde sordu.

Ahmet hiç ikirciklenmeden, sevinçli bir yüzle:

"Olur," dedi. "Ağrının doruğuna çıkarım. Orada, gece ulu bir ateş yakarım. Paşa da görür. Hazırlığa başlayalım."

Hoşap Beyi, Gülbahar, daha başkaları Ahmedi Ağrıdağının doruğuna, bu ölüm yolculuğuna çıkmaktan vazgeçiremediler.

İkinci gün helalleştiler. Atlanıp, ver elini Beyazıt dediler...

Ahmetle Gülbahar Kervan Şeyhinin evine indiler. Onların geldiğini bütün Beyazıt, Ağrıdağı yöreleri de duydu. Demirci, Şeyhin evine geldi. Şeyhle birlikte Ahmede çok dil döktüler.

"Bu Paşa kafirdir, seni öldürmek istiyor," dediler.

Ahmedi vazgeçiremediler. Dağlılar da gelip Ahmede yalvardılar. Ahmet hiç kimseyi dinlemedi.

Bir sabah Şeyhin elini öptü, ata atladı, sarayın yolunu tuttu, Paşanın huzuruna geldi:

"Ağrının doruğuna çıkıyorum Paşam," dedi. "Sen sağ olasın ki beni böyle zor bir işe koştun. Hakkın var."

Paşa ona uğurlar diledi.

"Üç gece Ağrının doruğuna bakacaksınız. Doruğun başı, bulutsuz bir gecede parlayacak, yanacak."

Gene atına bindi. At onu aldı, Ağrının doruğuna doğru götürdü.

Kalabalık yavaş yavaş Beyazıdın alanını, çarşıyı, sarayın önünü dolduruyordu. İnsanlar dağdan ağır, sessiz bir sel gibi iniyorlar, Beyazıt kasabasının içine birikiyorlardı. Ovadan da yukarı doğru, insanlar yamaçlara yapışmışlar, Beyazıda geliyorlardı. Geliyor, birikiyorlar, kasabanın çarşısını, sokaklarını, camilerini dolduruyorlar, susuyorlardı.

İsmail Ağa öğleye doğru Paşaya geldi. Paşa ona sordu:

"Daha geliyorlar mı, arkaları kesilmedi mi?"

"Daha geliyorlar," dedi İsmail Ağa, umutsuzca ellerini açarak. "Çoğalarak, kabararak geliyorlar. Bir insan selidir akıyor, akıyor bitmiyor. Ne de çok insan varmış meğer bizim şu dağda, şu ovada."

"Çok insan var," dedi Paşa. "Çok insan var şu dünyada. Ama hayırlı bir iş için olsa böyle bir araya gelmezler. Bu kadar çabuk nereden duydular onun dağa çıkacağını? Nereden duydular da geliyorlar? Kim haber verdi acaba? Daha gelecekler mi?"

Sarayın uzun, çok direkli, mermer salonunda ayakları halılara gömülerek yürüyordu. Yüzü uzamış, sararmıştı. Fıldır fıldır dönen gözlerinin kıyısındaki kırışıklıklar derinleşmişti.

Sıkılarak:

"İsmail Ağa," dedi, "öteki, bizimki nerede?"

İsmail Ağa pencereden kalabalığı gösterdi:

"Orada, kalabalığın ucunda, Ahmedi Hani türbesinin yakınında, kadınların arasında. Bak Paşam orada. Sarılar giyinmiş."

Paşa elini salladı, geriye döndü. Bir şey söyleyecekti. Kendine yediremedi, vazgeçti. Ve İsmail Ağaya bakmadan, yeniden yürümeye koyuldu. İsmail Ağa duruyor, Paşanın bir şeyler demesini bekliyordu. Uzun bir süre geçtikten sonra Paşa birden durdu, başını kaldırdı, kor gibi yanan gözlerle İsmail Ağaya baktı:

"Bu kalabalığa hiçbir şey yapamayız, onları dağıtamayız, değil mi İsmail Ağa?" diye sordu.

İsmail Ağa:

"Hiçbir şey yapamayız. Askerlerimiz, kışla çoktan kalabalığın içinde kaldı. Parmaklarını bile kıpırdatamazlar. Sarayda yüz elli, iki yüz asker ancak var. Bu kalabalıkla ordular başa çıkamaz."

Paşa içini çekti:

"Çıkamaz," dedi. "Haydi sen git, bak bakalım kalabalığa daha geliyorlar mı?"

O gün akşama doğru kalabalık çoğaldı, büyüdü, kasabayı taştı, kasabanın alt yanındaki koyağı, koyağın güneyindeki düzlüğü doldurdu, Ahmedi Haninin türbesinin ötesindeki yamaca sıvandılar. Kalabalık hiç kesilmemiş, dağdan ve ovadan boyuna durmadan, eksilmeden geliyorlardı. Sonra akşama doğru çadırlar kuruldu, çadırların önüne ateşler yakıldı, yağ kokuları, kurumuş ot, kurumuş çiçek kokularına karıştı. Ama bu koskoca kalabalık cansız gibiydi, cansız ve kıpırtısız. Sessiz, bir ışık gibi hiç belirtisiz, oraya buraya dalgalanıyordu.

Karanlık kavuşurken Mahmut Han İsmail Ağaya sordu:

"Daha geliyorlar mı?"

"Yeri göğü insan almış. Gökteki yıldızdan çoklar. Yer götürmez bir kalabalık..."

"Hiç konuşmuyorlar mı?"

"Çıt çıkarmıyorlar."

"Hiçbir yere, Ağrıdağına da bakmıyorlar, öyle mi?"

"Bakmıyorlar, öyle içlerine kapanmışlar. Koskoca bir kalabalık uyuyor gibi. Üstlerine ölüm toprağı serpilmiş, öyle cansız. Hiçbirisinin yüzünde küçük bir kıpırtı yok..."

Gece karanlıktı, gökyüzü bulutsuzdu. Yıldızlar Ağrının yamaçlarına, doruğuna çivilenmiş gibiydiler. Yıldızlar gökyüzünü almış şıkırdım gibiydiler, üst üste. Kasabanın üstünü bir ölü sessizliği örtmüştü. İnsanlar, soluk bile almıyorlardı.

Gökteki yıldızdan daha çok bir kalabalığın Paşa sarayını sardığıdır

Mahmut Han o gece sabaha kadar uyuyamadı, sarayın içinde döndü durdu ve düşündü. Ölümü ve hayatı düşünüyordu. İnsanları, şu dağlardan, ovalardan kopup gelen kalabalığı düşünüyordu. Bunlar bir erkek ve bir kadının mutluluğu için buraya toplanmışlardı. Dışardan bakınca öyle görünüyordu. Ama bunun altında çok şey vardı. İnanılmaz bir öfke vardı. Yüz bin yılın başkaldırma duygusu vardı. Şu konuşmayan, kıpırdamayan öfke... Bir delikanlıyla bir kızın sevdasını bahane eden öfke... Gittikçe zaman bozuluyor ve halk azıtıyor. Bugün benim sarayımın kapısını tutarlar kız bahanesiyle, yarın İstanbul şehrini doldurur Padişahın sarayının kapısını tutarlar başka bir bahaneyle. Vakt erişti gibime gelir. Şu halka bir çare bulamazsak hepimizin kellesi gider. Yarın zulmü bahane ederler, öbürsü gün vergiyi, öbürsü gün sarayımızı, öbürsü gün ekmeği... Ve birikirler birikirler... Yüz bin yılın öfkesi ve de acısıyla... Şimdiki gibi sessiz birikirler. Ve bu kalabalığa güç yetmez. Onlarla ordular, bir dünya kadar ordu olsa başa çıkamaz. Bunlar bir araya gelmeyegörsünler, önüne geçilemez. Bir çare, bunları bir araya getirmemek için bir çare...

Güneş pırıl pırıl, aydınlık, bulutsuz, yunmuş arınmış bir göğe, bir dağa doğdu. Güneş bir ara Ağrının yamacına yapıştı, sonra ayrıldı. Sonra gene yapıştı, sonra da bir iyice ayrılıp kalktı yekindi, dağın karşısında durdu. Mahmut Han güneşin bu halini hiç görmemişti. Güneş bile halini değiştirdi, diye söylendi. Alametler belirdi. Kıyamet alametleri...

Arılar oğul verdikten sonra, bir süre havada salınıp top top gökte savrulurlar, sonra da bir dal bulur dala tepeden tırnağa sıvanırlar. Bu sabah Beyazıt kasabası öyleydi işte.

Sabah güneşiyle birlikte, keçe külahlı, renk renk keçi, geyik, tay postlarına bürünmüş, uzun bıyıklı, uzun boylu erkekler ve üst üste giydikleri fistanları, binbir renkle donanmış, altın, gümüş halkalı kofileriyle ve iri, kara ceren gözleri ve ince bilekleriyle kadınlar kaynaştı. Gene hiç ses çıkarmıyorlardı.

Kaynaşan kalabalıkta kuşluğa doğru bir değişiklik oldu, kalabalık toptan yüzünü Ağrıya dönüp, gözlerini kırpmamacasına dağın doruğuna diktiler. Ve hep inatla öyle kaldılar.

Mahmut Han bunu gördü. Bunu görünce de çok korktu:

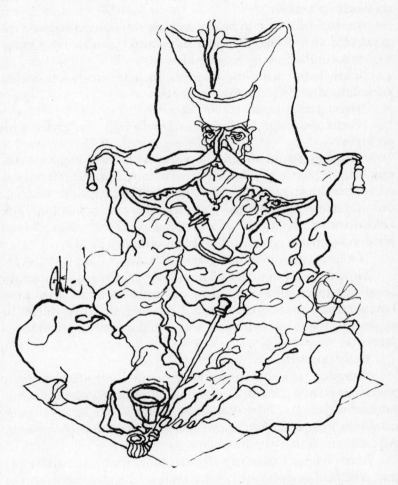

Halkın bir araya gelip üstüne yürümesinin Osmanlıyı düşündürdüğüdür

"Hiç konuşmuyorlar öyle mi İsmail Ağa?

"Hiç konuşmuyorlar Paşam. Öyle durmuşlar, gözlerini kırpmadan dağa bakıyorlar. Bir ara da ellerini havaya açıp, sessiz sessiz dua ettiler."

Bunlar böyle üç gün bekleyecekler. Ağrının doruğunda ışığı göremeyince dönecekler saraya, yıkacaklar, yerle bir edecekler, taş üstünde taş bırakmayacaklar.

Yoksa kendi kendime korkuya mı kapılıyorum, temelsiz korkulara, diye düşündü Mahmut Han.

"Daha geliyorlar mı İsmail Ağa?"

"Gittikçe çoğalarak... Nereden geliyor bu kadar insan? Kim getiriyor?"

"O mendebur, o allahsız Kervan Şeyhi," diye bağırdı Mahmut Han. "Onlar, o şeyhler her zaman bize düşmandırlar. Bunları yanımıza almazsak batarız, batarız İsmail Ağa. Batarız. Kök salmış güçleri var İsmail Ağa... Derinlere kök salmış, yüz bin yıllık kökleri var halk içinde İsmail Ağa. Bunlarla birleşmezsek..." Pencereden kalabalığı gösterdi. "İşte böyle olur, İsmail Ağa..."

"Onlarla her zaman birleşebiliriz, Paşam," dedi İsmail Ağa.

Bu gece çoluğumu çocuğumu, adamlarımı toplayıp sarayı bomboş bırakıp gitsem mi, diye düşündü Mahmut Han. Korkaklık olmaz mı, bu hali İstanbul duymaz mı, diye düşündü sonra da... Sonra, sarayın her yanı sarılmış, nasıl kaçılır? Dövüşerek mi?..

Birden parladı:

"Şuradan, bu halden bir kurtarayım kendimi, o Kervan Şeyhinin, o Hoşap kalesi Beyinin başını vurduracağım. Vurduracağım başlarını. Onlar olmasa bu kadar kalabalık saramazdı sarayımı. Vurduracağım, vurduracağım! Vurduracağım İsmail Ağa. Görsün onlar, görsün onlar."

Avazı çıktığı kadar bağırıyordu. Boynunun damarları şişmiş, kendinden geçmişti. Söyledi söyledi, sonra yavaş yavaş yatıştı. Usulca, sessizce: "Vurduracağım, vurduracağım, vurduracağım boyunlarını, şu beladan bir kurtulayım."

İsmail Ağa orada, kapının yanında, bir pembe mermer direğe sırtını dayamış Mahmut Hanın öfkesinin dinmesini bekliyordu.

"Dengbejler, kavalcılar da geldiler mi İsmail Ağa?"

"Yüzlerce... Yüzlerce de davulcu var. Düğünü bekliyorlar."

"İnşallah dağın başında ışık yanar İsmail Ağa. Yoksa..."

Birden böylesine içini, korkusunu en yakını İsmail Ağaya bile açtığına utandı. Ağzında bir şeyler geveledi, sözünü değiştirmeye kalktı, beceremedi. Başını önüne eğdi.

İsmail Ağa onun pişmanlığını anladı. Özü sözü bir, bir adamdı Ağa:

"Paşa," dedi, açık konuştu. "Paşam bu kaynayıp duran kalabalık bu gece de dorukta ışığı göremezse, sabrı tükenir, gelir sarayı yerle bir eder, hepimizi öldürür. Neden biribirimizden saklıyoruz bunu? Neden kendimize bile söylemeye korkuyoruz? Bu kader gibi bir şey, önüne geçelim."

"Nasıl?" diye can atarcasına sordu Mahmut Han. "Nasıl bir çare İsmail?"

"Vazgeçersin Paşa. İsteğinden vazgeçersin. Çıkarsın sarayın kapısına, mademki bu kadar kalabalık bu işi istiyor, bu kalabalığın hatırı için vazgeçtim isteğimden. Kızımı sizin hatırınız için Ahmede verdim, dersin, Ahmedi alın getirin de düğünü kuralım... Sizin hatırınız için, gönlünüz hoş olsun diye düğünü de ben kuracağım, dersin. Bundan sonra bu halk seni başları üstünde taşır. Onlar için Allahtan sonra sen gelirsin. Başka hiçbir çare yok."

"Yapamam İsmail Ağa. Korktuğumuzu anlarlar."

"Akıllarına bile gelmez korktuğumuz. Kalabalık hiç fitne fücur düşünmez. İyi niyetlidir."

"Gelir İsmail. Kalabalık kadar zekisi dünyaya gelmemiştir."

"Yanılıyorsun Paşa. İşlerine gelmez sarayı yıkmak. Ama mecburlar yıkmaya. Sonradan başlarına geleceği bile bile yıkmaya mecburlar. Bizi öldürmeye mecburlar. Belki şimdiye Ahmet ölmüştür bile. Ağrı onu almış yutmuştur bile... Belki..."

"Doğrusun, haklısın, haklısın ama, yapamam İsmail Ağa. Sözümden dönemem."

"Onlar da korkuyorlar. Senin kararından vazgeçtiğine sevinirler. Bundan dolayı da korktuğumuz akıllarına gelmez. Tam tersi seni kutsarlar, iyilikseverliğini göklere çıkarırlar. Hakkında destanlar çıkar."

"Yapamam, elimden gelmez İsmail Ağa. Öldürsünler beni. Hem, hem, hem... Belki çıkar dağın başına. Belki ateşi bu gece görürüz..."

"Olamaz," diye bağırdı İsmail Ağa. "Ağrı, doruğuna varan hiçbir adamı bırakmaz, tutar taşa çevirir..."

"Kervan Şeyhinin kerameti var. Belki bir keramet..."

"Ağrı keramet dinlemez. Ağrı doruğunun bekaretini bozma fırsatını kimseye vermez."

"Belki doruğa çıkmaz Ahmet, aşağılarda yakar ateşi."

İsmail Ağa sakalını sıvazladı, gülümsedi, ellerini ovaladı: "Ahmet yiğittir," dedi. "Öleceğini bile bile gitti. Doruğa varacaktır."

"Ben de dediğimden dönemem İsmail Ağa. Dövüşe dövüşe ölürüm. Var git askerlere, hazırlansınlar. Kışladaki askerleri de saraya alın. Dövüşe dövüşe öleceğiz."

"Dövüşmeye fırsat kalmaz Paşa," dedi İsmail Ağa. "Ben böylesi kalabalığı bilirim. Göz açıp kapayıncaya kadar yok ederler bizi, hepimizi."

"Yok etsinler!" diye gürledi Paşa. "Göz açıp kapayıncaya kadarki sürede dövüşürüz. Var git söyle, hazırlansınlar. Kışladakiler de gelsinler."

İsmail Ağa artık konuşmadı. Konuşmasının para etmeyeceğini biliyordu. Onun dediğini yerine getirmekten başka çare yoktu.

Akşam oldu, karanlık kavuştu. Aşağıdaki ova insandan kapkara kesilmişti. Ovaya boyuna insanlar geliyor, habire çadırlar kuruluyordu. Çadırların önünde yıldız yıldız ateşler yanmaya başladı.

Kalabalık karanlık kavuşur kavuşmaz ayaklandı. Gözlerini doruğa diktiler. Bu kadar insan bir yürek olmuş bekliyordu. Üç gündür, doğacak bir gün gibi Ağrının doruğunda patlayacak ateşi bekliyorlardı. Gözleyi gözleyi gözleri dört olmuştu.

Mahmut Han da sarayında aynı ateşi bekliyordu.

Bir yanda kalabalık, bir yanda Mahmut Han, yürekleri ağızlarına gelmiş Ağrının doruğundan doğacak mucizeyi bekliyorlar.

Gece yarısı horozları öttü. Ağrının doruğuna yapışmış harman olmuş yıldızlardan başka en küçük bir ipilti bile yok. Tanyerleri ışıdı, kuyrukyıldızı yalp yalp kıvılcımlanarak mavi, kendi yöresinde harmanlandı. Başka türlü, acayip bir aya benziyordu kuyrukyıldızı, tanyerine yakın.

İsmail Ağa yelyepelek geldi. Ter içinde kalmıştı.

"Şimdi homurdanmaya başladılar, yönlerini de ağır ağır saraya döndüler. Hepsi değil, bir kısmı," dedi.

Mahmut Hanın gözleri kan çanağına dönmüştü. Eli bir kılıcına, bir belindeki altın kaplama, fildişi saplı çakmaklı tabancasına gidiyordu. Bütün gece eli böylece işlemiş durmuştu. Gözü de dorukta.

"Başka çare yok Paşam. Başka kurtuluş çaresi..."

Paşa çözüldü. Ağır, sallanarak, bitmiş, var gücüyle kendini toparlamaya çalışarak sarayın kapısına doğru yürüdü. Caminin kapısından geçti, avluda birkaç kere ayakları gerisin geriye gitti, dönmek istedi dönemedi. Büyük kemerli, harikulade Selçuk nakışlı avlu kapısına geldi. Kalabalık onu görünce homurtuyu kesti, sessiz, taş kesildi. Soluk bile almadılar. Mahmut Han iri gözlerini kalabalığın üstünde uzun uzun gezdirdi. Kalabalık usuldan, gelgitten sonraki bir deniz gibi sallanıyordu.

Paşa sarayın önündeki tümseğe yürüdü, tepeye tırmandı:

"Ahmedi sizin hatırınız için bağışladım," dedi. "Düğününü de ben yapacağım. Mademki bu kadar kimse, bu kadar halk geldiniz. Şimdi adam gönderip Ahmedi geri getirteceğim. Aranızda ayağına çabuk, iyi at süren kimse varsa, yetişsin Ahmede, Paşa vazgeçti desin."

Kalabalık derinden uğuldadı. Birkaç kere bir uçtan bir uca dalgalandı. Kalabalık gerilmiş yay gibiydi. Boşaldı boşalacak. Paşa bunu sezdi.

Görünüşte kendine güvenli, içinden yüreği titreyerek tepeden indi, ağır adımlarla saraya girdi. Adamları onu üç adım arkadan izliyorlardı.

Paşa içeri girer girmez bir sürü atlı, bir sürü yaya delikanlı Ağrıdağının yoluna atıldılar. Bir kalabalık Ağrıdağına uçar gibi süzüldü.

O gün kalabalık çözüldü, konuşmaya başladılar. Beyazıt, dev bir arı kovanı gibi uğulduyordu. İnsanlar ellerini yanlarına düşürmüşler, tembel, güneşin alnında öylece ne yaptıklarını, nereye gittiklerini bilmeden dolaşıp duruyorlardı.

Demirci, kalabalığın arasına katılmış, sevinçle: "İmana geldi kafir," diyordu. "Korku onu imana getirdi. O altın sarayının, mermer, gümüş sarayının yerle bir edileceğini anladı. Anladı da dize geldi kafir," diyordu.

Herkes hayranlıkla demirci Hüsoya bakıyordu.

"Biz hep böyle, her şeyde birlik olsak, kimse bize diş geçiremez. Bize dağlar, şahlar dayanamaz. Hiç kimse... Yeter ki böyle birlik olalım."

Arkasından, bazı kimseler, sarayın yakınları: "Ateşperest," diyorlardı. "Din düşmanı! Sana ne? Birlik olsak olmasak. Sen bir ateşe tapansın."

Ve demirci bu arkasından söylenenleri duymuyordu.

Ovadaki insanlar bir kasabaya çıkıyorlar, bir aşağıya iniyorlar, Ağrıdan gelecek haberi bekliyorlardı. Daha şimdiden birkaç kişi beklemekten bıkmış çekip köyüne gitmişti. Vakit geçtikçe usanıp köylerine gidenler, gitmeye davrananlar çoğalıyordu. O beklemeden, o öfkeden çok az bir şey kalmıştı.

Gene akşam oldu, gün kavuştu. Kalabalığın yılgın usanmış uğultusu derinden, yerin altından gelirmişçesine büyüdü. Yalnız bazıları, bazı meraklı kişiler arada sırada başlarını kaldırıp Ağrının tepesine bakıyorlardı. Mahmut Han da yarım saatta, bir saatta bir pencereye gidip dağın doruğuna bakıyordu. Bir tek kişi vardı gözlerini hiç doruktan ayırmayan, o da demirciydi.

Ben ona el verdim, diyordu. Ağrı onu tutmayacak, geriye gönderecek. Yalımların, pirlerin yüzü suyu hürmetine Ahmedi Ağrı bize gönderecek.

Ve bugün dördüncü günün gecesiydi. Ve birden demircinin çığlığı geceyi yırttı. Sonra top patlar gibi bir uğultu Ağrıdağında yankılandı. Dağ sarsıldı, titredi. Top patlar gibi uğultular geldi koyaklardan. Herkes Ağrının doruğuna baktı. Dorukta ince bir ateş ipileyip duruyordu. Yitiyor, az sonra yeniden ortaya çıkıyor, gene yitiyordu.

Korkusundan Mahmut Hanın Ahmedi bağışladığını ilan etmesidir

Uğultu bir sevinç oldu. Sevinç sesleri doldurdu geceyi. Davullar, meyler çalmaya başladı. Genç kızlar, erkekler gövende durdular. Büyük bir toy düğün başladı.

Mahmut Han:

"Ağrı Ahmedi yakalamadı," dedi. "Ne oldu?"

İsmail Ağa:

"Ahmet Ağrıdandır," dedi. "Ağrı onlara bir şey yapmaz."

Mahmut Han:

"Yalan," diye bağırdı. "Bunda bir şey var."

Ve sabahleyin, kan tere batmış atın üstünde, dimdik Ahmet geldi, sarayın kapısında durdu. Kalabalık onun dört bir yanını sardı. Saraya girmesine izin vermediler. Onu alıp Hüsonun demirci dükkanına götürdüler. Ahmet Hüsonun elini öptü.

Hüso:

"Pirler sana yardımcı oldular. Bundan sonra pirler seninle olsun," dedi, üstüne kıvılcımlar saçaraktan onu kutsadı.

Gülbahar gelmiş bir köşede duruyordu. Ahmet ona bakmadı bile. Gülbahar onun bu tutumundan dolayı üzüldü. Konuşmadı. Böyle mi olacaktı? Öyleyse bu adam neden canını göze almış da dorukta ateşi yakmıştı? Gülbahar her şeyi anlıyor, içindeki sevgi aynı ölçüde hışıma dönüşüyordu.

Ahmedin arkasından dışarıya çıktı:

"Gidelim," dedi.

Ahmet:

"Gidelim."

Saraya gitmediler, kalabalığa bakmadılar. Onlar için kurulmuş düğünü görmediler. Kervan Şeyhinin elini öpmediler, atlarına bindiler, yeniden dağa sürdüler.

Ağrıdağının yamacında bir göl vardır. Bir harman yeri büyüklüğündedir. Suları som mavidir. Her yıl, bahar dünyaya yürüdüğünde, bir sabah, daha gün doğmadan Ağrıdağının tekmil çobanları bu göle gelirler. Gölün kırmızı kayalıklarına, bakır toprağına kepeneklerini atar, bin yıllık sevda toprağına otururlar ve Ağrıdağının öfkesini kavallarıyla, hep bir ağızdan çalarlar. Akşam olurken de bir ak kuş gelir, küçücüktür, kanadının birisini som maviye batırır, uçar gider. Arkada, az ötede de büyük bir at gölgesi göle doğru gelir. Gelir gelmez de ortadan kaybolur gider. Gün kavuşur kavuşmaz da çobanlar kavallarını hep birden keserler ve Ağrıdağının karanlığında solar yiter, karanlığa karışırlar.

Atlarının başını Küp gölünün üst başındaki mağaranın önüne çektiler. Mağaranın yukarısındaki düzlüğe, aşağılarındaki yamaca çadırlar kurulmuştu. Çadırların sönük ışıkları Ağrıya serpilmiş ipileşiyorlardı. Keskin, acı, baş döndürücü bir kokuyla kokuyordu dört bir yan. Sonbaharın, bütün kokuları keskinleştiren kokusuyla kokuyordu. Bir çürük, bir eski dağ elması kokusuna benziyordu her koku. Yanık otlar, kavrulmuş güçlü çiçekler, kısa, küt, sağlam hışırdaşıyorlardı. Atları bir çalıya bağladılar. Ahmet çakmağıyla çalışa çalışa bir ateş yaktı. Gülbahar, dört yandan kurumuş bol çalı çırpı topladı. Ateşin kıyısına karşı karşıya oturdular. Ahmet heybeden ekmek, kokulu yeşil peynir çıkardı. Karşılıklı yediler. Hiç konuşmuyorlar, biribirlerinin gözlerine bakamıyorlardı. Yalnız ateş sönmeye yüz tuttukça Gülbahar dışarıya gidiyor, bir büyük kucak çalı çırpı alıp getiriyordu. Duman genizlerini yakıyordu ama ikisi de bunun farkında değildi.

Uzaktaki koyaktan, dağı sarsan gümbürtüler geliyordu. Sanki yüzlerce çığ birden patlıyordu. Bu, doruklardan kopan büyük buz parçalarının düşerken çıkardığı sesin büyüyerek gelen yankısıydı. Ve Ağrıdan her mevsimde böyle büyük, her birisi birer küçük dağ gibi buzlar düşer, koyaklarda sesi büyüyerek yankılanır.

Gülbahar bir korku, bir üzüntü içinde çenesini dizlerinin üstüne koymuş büzüldükçe büzülüyordu. Bir topak kalmıştı. Dışarda bir fırtına başladı, geldi geçti. Bir ayaz çıktı, sonra da hava hemen yumuşadı. Gece yarıyı geçti, öyle karşı karşıya oturmuşlar, gözlerini yanan ateşe dikmişler, öyle duruyorlardı.

Ne o konuşmaya başlayabiliyor, ne de o.

Gülbaharın içindeki öfke gittikçe kabarıyordu. Sevdası ne kadar köklü, derindeyse öfkesi de öylesine taşıyordu. Birden patladı:

Gülbaharla Ahmedin bütün belalardan kurtulup Ağrıdağına döndükleridir

"Söyle Ahmet," dedi. "Senin içinde bir şey var, onu söyle."

Ahmet iri gözlerini şaşkınlıkla açtı ve Gülbaharın farkına vardı. Sanki yıllardır Gülbaharı yeni görüyordu. Sanki çok eski bir tanıdığıydı da ansımaya çalışıyordu. Yüzünde öyle bir hava belirdi.

Ahmet konuşamıyor, ne diyeceğini bilemiyordu. Gülbaharın sesi bir yangın gibiydi. Karşılığı verilmeliydi. Ahmet gözlerini Gülbaharın yüzüne dikti öylecene kaldı. Sonra ağır, ölüm gibi zor:

"Beni nasıl kurtardın Gülbahar? Ne verdin Memoya da benim canımı satın aldın? Memo neyin karşılığı kendi canını verdi de benim canımı kurtardı? Memo beni bıraktığı zaman, kendisinin öleceğini bilmez miydi? Bunu bana söyle. Bilir miydi, bilmez miydi?"

Durdu, gözlerini Gülbaharın gözlerine dikti, bekledi.

Gülbahar:

"Bilirdi," dedi. "Zindanın kapısını açan zindancı dünyanın hiçbir yerinde yaşayamaz. Hiçbir ülkeye sığınamaz, onu Memo bilirdi. Onun için de savaşa savaşa gitti, kalenin burcundan kendini aşağı attı."

"Altın mı verdin de canını verdi?"

"Yok."

"Saraylar mı bağışladın da canını verdi?"

"Yok."

"Ne verdin, Gülbahar, ona ki, karşılığında canını aldın? Canını benim canımla değişti?"

"Hiçbir şey vermedim Ahmet," dedi. "Hiçbir şey istemedi."

"Beni kurtarmak için?"

Gülbahar onun sözünü kesti:

"Söyledim ona," dedi. "Ne isterse verir, senin canını alırdım. Hiçbir şey istemedi."

"Sen ne isterse vereceğini söyledin ona, öyle mi?"

"Ne isterse vereceğimi söyledim. O hiçbir şey istemedi."

Ve sustular.

Ateş yavaş yavaş sönüyordu. Gülbahar için artık her şey bitmişti. Ahmedin ne demek istediğini iyice anlamıştı.

Ahmet kalktı, atın üstündeki yamçıyı aldı, yere ot döşedi. Keskin kokulu Ağrıdağı püreninden yastık yaptı, kılıcını kınından sıyırıp ortaya yatırdı. Kılıç ipileyen ateşin ölü ışığında donuk donuk parladı. Uzandı, yamçıyı üstüne çekti.

Gülbahar dışarı çıktı, bir kucak kuru ot, çalı çırpı daha taşıdı. Ateş harlandı. Ahmedin yüzüne hayran, hasretli, doymamış baktı. Baktıkça bakası geliyor, doyamıyor, baktıkça sevdası artıyordu. Çaresizlik içinde kıvranıyordu. Her şey, her şey bitmişti... Her şey. Bu korkunç acıyı ta yüreğinde duydu. Dayanamazdı. Şimdi ne yapacaktı? Nereye gidecek, kime sığınacaktı? İliklerine kadar sevdayla dolmuştu. Gerçekten Ahmedi sevmemiş miydi? Sevseydi ölümüne razı olur da... Memoyu...

Dışarı çıktı, sendeliyordu. Yıldızlar kaynaştılar. Bir inip bir çıktılar Ağrıya. Ağrı indi, kalktı, yıldızlarla karman çorman oldu. Gürledi, sarsıldı, uğuldadı, yıkıldı. Gülbahar sallanarak bir kucak çalıyla içeriye döndü. Ateş parladı. Ahmedin yüzü gittikçe güzelleşiyor, sevdalanıyordu. Ahmet uykuda mıydı, sevdada mıydı, ölü gibi yorgun muydu? Gülbahar boğulur gibi oldu... Baktıkça Ahmedin yüzü güzelleşiyordu. Ateş harlıyor, aydınlanıyor, büyüyordu, Gülbahar kıvrandı. Dünya dönüyor, mağaranın kayaları korkunç çığlıklarla çatırdıyor, dışarda yıldızlar uçuşuyor, kaynaşıyor, ortalık kuduruyordu. Kıyamet kopuyordu.

Gülbahar birdenbire karanlığa battı. Karanlıkta yalnız Ahmedin yüzü... Gülbaharın eli hançerine gitti. Durmadan hançer üşürdü bir yerlere, kolu yorulup düşünceye kadar.

Gözünü açtığında gün yavaş yavaş ışıyordu. Ilık bir hava, keskin kokuları dört bir yana dağıtıyordu. Gülbahar bir top ışık içinde, ilerdeki kayanın üstünde, yarı karanlığa batmış Ahmedi gördü. Ahmede doğru atıldı:

"Ahmet, Ahmet, Ahmet, gel gitme... Ahmet, Ahmet, Ahmet!"

Bütün Ağrıdağı sesinden yankılandı. Koyaklara çığlar indi sesinden, dağ derinden sarsıldı.

Gülbahar üstüne gittikçe Ahmet ondan uzaklaşıyordu. Gülbahar durdukça duruyor, yürüdükçe uzaklaşıyordu. Böyle böyle Küp gölüne geldiler. Gülbahar Ahmedi Küp gölünde yitirdi. Yüzünü elleri arasına aldı. Küp gölünün bakır toprağına oturdu. Gözlerini som mavi suya dikti.

O gün bugündür, Küp gölünün oralardan geçenler, gölün kıyısına oturmuş, kara, ışık gibi akan uzun saçlarını sırtına sermiş, başı iki elleri arasında gözlerini som mavi suya dikmiş Gülbaharı görürler. Arada sırada Ahmet gölün sularında Gülbaharın gözüne gözükür ve Gülbahar kollarını açıp Ahmede yürür, "Ahmet, Ahmet!" diye bağırır. Sesi bütün dağda yankılanır. "Ahmet, Ahmet! Sen de benim yerimde olsan benim yaptığımı yapardın. Yeter artık, gel Ahmet, Ahmet, Ahmet!"

Göl kaynar, Ahmet silinir. Gülbahar silinir ve küçücük ak bir kuş gelip kanadını suyun som mavisine batırır. Ve sonra da bir atın kapkara gölgesi gölün üstünden gelir geçer.

Her yıl, bahar çiçeğe durduğunda, dünya nennilendiğinde, Ağrıdağının çobanları dört yandan gelirler, kepeneklerini gölün bakır toprağına atıp üstüne otururlar. Bin yıllık sevda toprağının üstüne otururlar. Tanyerleri ışırken kavallarını bellerinden çekip Ağrıdağının öfkesini, sevdasını çalarlar. Ve gün kavuşurken bir ak kuş gelir...

Her yıl bahar çiçeğe durduğunda ak kuşun
Küp gölüne gelip kanadını som maviye batırdığıdır

Yüzüncü Ad
Doğunun Limanları
Işık Bahçeleri
Yolların Başlangıcı
Béatrice'ten Sonra Birinci Yüzyıl
Jamal Mahjoub
Raşid'in Dürbünü
Cinlerle Yolculuk
Alametler Saati
Alberto Manguel
Palmiyelerin Altında Stevenson
Ian McEwan
Cumartesi
Jon McGregor
Önemli Şeylerden Kimse Söz Etmezse
Nezihe Meriç
Korsan Çıkmazı
Yandırma
Alacaceren
Gustav Meyrink
Golem
Nâzım Hikmet
Romanlar - 1
Kan Konuşmaz
Romanlar - 2
Yeşil Elmalar
Yaşamak Hakkı
Romanlar - 3
Yaşamak Güzel Şey Be Kardeşim
Ali Alkan İnal
Beni Ölüm Gibi
Tezer Özlü
Yaşamın Ucuna Yolculuk
Çocukluğun Soğuk Geceleri
Mahir Öztaş
Ruh İkizini Arar
Soğuma
Korku Oyunu
Ay Gözetleme Komitesi
Bir Arzuyu Beslemek
Georges Perec
Yaşam Kullanma Kılavuzu
Robert Pinget
Fantoine ile Agapa Arasında
Sorgulama
Mösyö Songe
Libera
Jan Potocki
Hafız'ın Yolculuğu
Marcel Proust
Çiçek Açmış Genç Kızların Gölgesinde
Guermantes Tarafı
Mahpus
Sodom ve Gomorra
Swann'ların Tarafı
Albertine Kayıp
Yakalanan Zaman
Oliver Sacks
Karısını Şapka Sanan Adam
Sesleri Görmek
Renkkörleri Adası
Uyanışlar
Tungsten Dayı - Kimyasal Bir Çocukluğun Anıları
J.D. Salinger
Çavdar Tarlasında Çocuklar

Ernst Von Salomon
Soruşturma
Isaac Bashevis Singer
Meşuga
Philippe Sollers
Stüdyo
Sabit Tutku
Venedik Karnavalı
Mine Söğüt
Şahbaz'ın Harikulâde Yılı 1979
Viktor Şklovski
Hayvanat Bahçesi
Luan Starova
Tanrıtanımazlık Müzesi
Magda Szabó
Kapı
Latife Tekin
Sevgili Arsız Ölüm
Unutma Bahçesi
Bedirhan Toprak
Fanfa
Köpek ve Şairi
Leonid Tsıpkin
Baden Baden'de Yaz
Güven Turan
Üçlü
Filiz Özdem
Korku Benim Sahibim
Faruk Ulay
Beldeler Kitabı
Peter Weiss
Direnmenin Estetiği
Yaşar Kemal
Fırat Suyu Kan Akıyor Baksana – *Bir Ada Hikayesi 1*
Karıncanın Su İçtiği – *Bir Ada Hikayesi 2*
Tanyeri Horozları – *Bir Ada Hikayesi 3*
İnce Memed 1
İnce Memed 2
İnce Memed 3
İnce Memed 4
Ortadirek – *Dağın Öte Yüzü 1*
Yer Demir Gök Bakır – *Dağın Öte Yüzü 2*
Ölmez Otu – *Dağın Öte Yüzü 3*
Demirciler Çarşısı Cinayeti – *Akçasazın Ağaları 1*
Yusufçuk Yusuf – *Akçasazın Ağaları 2*
Yağmurcuk Kuşu – *Kimsecik 1*
Kale Kapısı – *Kimsecik 2*
Kanın Sesi – *Kimsecik 3*
Teneke
Binboğalar Efsanesi
Ağrıdağı Efsanesi
Hüyükteki Nar Ağacı
Yılanı Öldürseler
Deniz Küstü
Al Gözüm Seyreyle Salih
Kuşlar da Gitti
Ayışığı Kuyumcuları / Albert Vidalie –
Çevirenler: Thilda Kemal - Yaşar Kemal
İbrahim Yıldırım
Bıçkın ve Orta Halli - Cinayet, Ülke, Cinnet
Kuşevi'nin Efendisi
Yaralı Kalmak
Çetin Yiğenoğlu
Haydar'ı Öldürmek
Özen Yula
Hayat Bir Kere